SAS Het Arabische verbond

3281

Van dezelfde auteur

SAS Hoog spel in Israël
SAS De wraak van Osama
SAS Angst in Athene
SAS Bagdad Expres
SAS Het goud van Al Qaeda
SAS Pact met de duivel
SAS Crisis in Colombia
SAS Terreur in Turkije
SAS Onrust in Moskou

Gérard de Villiers

Het Arabische verbond

Zwarte Beertjes
Utrecht / Amsterdam

Oorspronkelijke titel: La connection Saoudienne

Vertaling: Maarten Meeuwes

Dit is een uitgave van A.W. Bruna Uitgevers B.V.
in samenwerking met Zwarte Beertjes.

ISBN 90 461 1114 8
NUR 313

SAS
Het Arabische verbond

1

Sánchez Pastrana keek enkele seconden lang naar de rode schijf van de zon die achter de skyline van Miami verdween. Een spektakel waar hij nooit genoeg van kon krijgen en een van de laatste geneugten die zijn broze gezondheid hem nog gunde. Toen liet hij zijn blik dalen naar de zwart omhulde benen van de vrouw die tegenover hem zat. Zijn oude, vermoeide hart begon iets sneller te kloppen. Dolores Zapata was ondanks haar veertig jaar nog een uiterst sexy vrouw en haar onstuimige verleden achtervolgde haar nog steeds. Ze had altijd van mannen gehouden en deze hadden haar veel genot geschonken. Met haar lange, kastanjebruine haar dat over haar schouders viel, haar grote, volle mond, haar zelfverzekerde blik en haar gewelfde gedaante, had ze altijd veel succes gehad.
Alsof ze de gedachten van Sánchez Pastrana had geraden, sloeg ze haar benen in een sensueel gebaar over elkaar. In andere tijden zou de oude drugssmokkelaar niet hebben geaarzeld haar ter plekke te nemen, maar daar had hij nu de kracht niet meer voor. Om deze tijd van de dag was hij zo moe, dat het hem moeite kostte zijn ogen open te houden. Hij wilde beslist niet dat zijn bezoekster zou merken hoe slecht hij eraan toe was, dus hij zou het tot aan het einde van het bezoek volhouden. Hij streek met zijn hand over zijn dunne, zwarte haar, dat naar achteren was gekamd, en keek haar glimlachend aan: 'Goed, ik moet nog wat mensen spreken. Als je me nog nodig hebt, bel je maar.'
Dolores stond op en streek haar zijden jurk glad, zodat haar grote borsten en lange benen nog beter uitkwamen. Toen keek ze de man met een stralende glimlach aan: 'Hartelijk bedankt, Sánchez, ik weet niet hoe ik je moet bedanken.'
Haar blik fonkelde en haar half open mond was heel suggestief, maar Sánchez ging er niet op in. Hij begeleidde haar slechts met een enigszins stijve pas vanwege de jicht naar de deur. 'Je weet dat ik je man goed heb gekend,' zei hij. 'We hebben zelfs samengewerkt.'

De tweede man van Dolores Zapata was een van de groothandelaren in cocaïne van het kartel van Medellín geweest. Zijn liefde voor haar was na een financiële onenigheid voortijdig beëindigd door een schot uit een jachtgeweer. In deze kringen kon je geen beroep doen op een deurwaarder. Na de dood van haar man verdiende Dolores nog wat bij als tussenpersoon tussen de groothandelaren en de Amerikaanse distributeurs van het witte poeder. Ze was mooi, sensueel en keihard. Ze genoot het volste vertrouwen van de vroegere vrienden van haar man. Sinds zijn dood leefde ze van een klein makelaarskantoor in Coral Gables, een chique wijk in het zuiden van Miami, maar daarmee kon ze haar BMW en haar huis op Hardee Road, in een zeer aangename buitenwijk, niet betalen.
Voordat ze het appartement verliet, wierp ze Sánchez Pastrana nog een blik toe waarmee ze een dode had kunnen doen ontwaken. 'Sánchez, je hebt me een heel grote dienst bewezen,' zei ze nog eens. 'Heel erg bedankt.'
Hij glimlachte zonder te antwoorden.
Toen ze de vorige dag de oude drugshandelaar had gebeld, was ze wanhopig geweest. De zaak van haar leven ging vanwege een nare tegenslag aan haar neus voorbij. De partner met wie ze onderhandelde, was om een oude zaak door de Colombiaanse politie gearresteerd en ze had niemand om zijn plaats in te nemen.
Om te laten zien dat hij nog man was, pakte Sánchez Pastrana haar in haar nek beet en kuste haar bijna ingetogen op haar mond.
Discreet wendden de vier *sicarios* die op wacht stonden, hun hoofd af.
'Graag gedaan,' verzekerde hij haar. 'Ik bel je deze week op en dan gaan we bij Wollenski eten.'
'Graag,' antwoordde Dolores met een vochtige glimlach.
Wanneer Sánchez het zou willen, zou ze met hem naar bed gaan. Maar haar vrouwelijke instinct zei haar dat hij niet erg meer in seks was geïnteresseerd. Anders had hij allang van de gelegenheid gebruikgemaakt. Maar voor alle zekerheid had ze voor deze gelegenheid toch zwarte kousen en een zeer sexy jurk aangetrokken. De deur sloeg achter haar dicht en snel liep ze

naar de lift. Ze wilde gauw gebruikmaken van de oplossing die Sánchez Pastrana haar had geboden. Hij had haar aanbevolen bij een persoon die haar kon leveren wat ze dringend nodig had: tussen de vijf en tien ton zuivere heroïne. Het ging om een zekere Carlos Barco, voormalig restauranthouder in Medellín, maar nu vooral groothandelaar met connecties in verscheidene kartels. Hij was na enkele duistere transacties met de DEA, de Drugs Enforcement Administration, uit Colombia vertrokken en woonde nu in Miami. Officieel handelde hij niet meer in drugs. Wanneer Sánchez haar niet naar hem toe had gestuurd, zou ze nooit op het idee zijn gekomen zich tot hem te wenden.

Sánchez Pastrana hees zich moeizaam op een barkruk, waarvandaan hij de zee kon zien, en schonk een glas bordeaux in, Château-Margaux. Het enige wat hij nog mocht drinken. Geen sterkedrank meer! Zijn arts had hem zelfs wodka-martini's verboden, waar hij zo gek op was.

Hij dacht nog terug aan het ongelooflijke verhaal dat Dolores Zapata hem had verteld. Volgens haar had een prins uit Saoedi-Arabië, die ze al heel lang kende, haar, en daarmee de Colombiaanse narco's, via een tussenpersoon zijn diensten aangeboden. Voor een deel van de winst was hij bereid tonnen cocaïne van Latijns-Amerika naar Europa te brengen. Hij zou gebruikmaken van zijn diplomatieke paspoort en zijn eigen intercontinentale vliegtuigen inzetten. Wanneer iemand anders dan Dolores met dat verhaal zou zijn aangekomen, zou hij er geen woord van hebben geloofd, maar de Colombiaanse vrouw was geen fantast en hij wist dat ze een affaire had gehad met een Arabische prins. Vijf jaar geleden zou hij de zaak zelf op zich hebben genomen. Maar hij had zich nu teruggetrokken uit de cocaïnehandel, en hij vond dat hij veel geluk had gehad. Jarenlang was hij een van de machtigste handelaren van het kartel van Medellín geweest. Hij had via een netwerk van smokkelaars honderden tonnen cocaïne naar de Verenigde Staten gestuurd en er tientallen miljoenen dollars aan verdiend, die nu veilig waren opgeborgen in verschillende belastingparadijzen op de Cariben. In 1998 had hij een zware tegenslag te verduren gehad. De DEA had zijn netwerk geïnfiltreerd en bewijzen verzameld van zijn betrokkenheid bij de import van aanzienlijke hoeveelheden cocaïne. Voor het Amerikaanse tribunaal in Fort Lauderdale was hij aangeklaagd en er was een internationaal arrestatiebevel tegen hem uitgevaardigd. Hij kon tot tweehonderd jaar gevangenisstraf worden veroordeeld.

Een jaar geleden had deze dreiging hem nog koud gelaten. De Amerikanen zouden hem niet ontvoeren uit zijn *finca*, die in de omgeving van Medellín lag en werd bewaakt door een leger van sicario's. Helaas had de Colombiaanse regering enkele maanden geleden een vreselijk besluit genomen: volgens de wet was het nu toegestaan grote drugssmokkelaars aan de Verenigde Staten uit te leveren. Sánchez Pastrana was op tijd gewaarschuwd en was van zijn finca verdwenen. Maar hij had al gauw door dat er een definitieve oplossing moest komen. Wat had hij aan tientallen miljoenen dollars wanneer hij er niets mee kon doen? Daarom had hij contact gelegd met een Colombiaan die hem was aangeraden door vrienden. De man was een playboy en modefotograaf, maar, wat belangrijker was, ook geheim agent van de DEA, bijgenaamd 'The Fixer', iemand die dingen voor je regelde. Die had snel het belang begrepen van de nieuwe uitleveringswet. De Amerikanen waren uit op spectaculaire successen, terwijl de narco's in alle rust van hun geld wilden genieten.

Sánchez had The Fixer in een bar in Medellín ontmoet. De man was duidelijk geweest: voor een miljoen dollar zou hij zijn best doen een deal met de DEA te sluiten waar iedereen tevreden mee zou zijn. Omdat hij niet gek was, liet hij zich vooruit betalen. Sánchez had hem het geld overgemaakt vanaf een van zijn rekeningen op de Kaaimaneilanden, en hij had duidelijk gemaakt dat wanneer hij werd bedrogen, hij hem levend zou begraven. Ook al was hij op de vlucht, zijn macht was nog groot genoeg, dankzij zijn leger van sicario's dat hij elk jaar in stand hield. Zonder Baruch Ribeiro zou hij het nooit hebben gered. Hij was zelf degene die met het aanbod van de DEA bij hem was gekomen.

Om te beginnen moest Sánchez Pastrana ervoor zorgen dat een grote cocaïnezending van enkele honderden kilo's zou worden onderschept. Daarna zou de Colombiaan het vliegtuig naar de Verenigde Staten nemen en zich overleveren aan de procureur

van Fort Lauderdale. Hij zou worden bijgestaan door een advocaat die beide partijen samen hadden uitgekozen. Wanneer Sánchez Pastrana was gearresteerd, zou hij zijn netwerk van smokkelaars aan de Amerikanen verraden. Met die informatie kon de DEA een grote, dubbele slag slaan: een zending cocaïne onderscheppen én de smokkelaars oppakken. Vervolgens zou Sánchez Pastrana na enkele maanden op borg worden vrijgelaten en mocht hij zich in de Verenigde Staten vestigen. Hij hoefde zich niet meer ongerust te maken over zijn toekomst. Dankzij zijn medewerking kon er door zijn advocaat en de procureur van Florida over de gerechtelijke uitspraak worden onderhandeld. De straf zou tussen de achttien maanden en twee jaar gevangenisstraf zijn. Dat was redelijk, gezien de tonnen cocaïne die hij naar de Verenigde Staten had gesmokkeld. De smokkelaars riskeerden zelf tussen de tien en vijftien jaar.
Buiten dit officiële akkoord was er nog een kleine, officieuze, extra clausule: de DEA eiste dat er een 'boete' van zes miljoen dollar zou worden overgemaakt. Dit zou nergens op papier komen te staan en regelrecht naar een rekening gaan die werd gebruikt voor geheime operaties, wat vaak betekende dat het geld voor de aankoop van drugs door infiltranten werd gebruikt.
Sánchez was natuurlijk aan handen en voeten gebonden. Maar hij had zelfs een *green card* gekregen, zodat hij in Florida mocht werken en in de Verenigde Staten kon blijven. De zes miljoen dollar en het miljoen voor de Fixer hadden zijn spaarpot slechts licht aangetast. Daarna was alles gegaan zoals afgesproken.
Toen hij was gearresteerd, was hij in een geheime villa in Noord-Miami verhoord door een *special agent* van de DEA, genaamd Jeb Pembroke, aan wie hij al zijn geheimen, waaronder tientallen namen, had onthuld. Hij kon natuurlijk maar beter niet meer terug naar Colombia gaan...
Zijn eerste verblijf in de gevangenis was snel voorbij gegaan. Dankzij Jim Pembroke at hij vaak buiten en na betaling van een borgsom van 500.000 dollar, wat voor hem een kleinigheid was, was hij vrijgelaten. Hij mocht in Florida gaan wonen waar hij wilde en hij had al het geld dat hij nodig had om een nieuw

leven te kunnen leiden naar de Verenigde Staten laten komen, zonder dat de douane ook maar één vraag had gesteld. Zelfs in zijn stoutste dromen had Sánchez Pastrana niet op zo'n gunstige regeling durven dromen. Nog steeds in het kader van zijn overeenkomst had de Miami Herald hem een interview afgenomen, waarin hij van zijn spijt had betuigd, zonder dat hij met een woord repte over de geheime afspraken die hij met de federale instantie had gemaakt.

De Amerikaanse pers had de loftrompet gestoken over deze nieuwe overwinning van de DEA op de vreselijke narco's, en daarna was iedereen hem vergeten.

Of bijna iedereen.

Zonder dat het hem erg diep trof, had hij gehoord dat een van zijn neven levend met zijn vrouw, zijn drie kinderen en zijn hond was begraven door de ouders van een van de smokkelaars die hij aan de DEA had verraden. Hij moest ook voorzichtig zijn. Zelfs in Miami. Van zijn geld, dat hij goed had geïnvesteerd, had hij contant een prachtige penthouse op de veiligste plek van Miami kunnen kopen: op het Fisher Island, pal tegenover het uiterste puntje van South Beach. Het was een klein privé-eilandje dat via een, eveneens privé-, ferry verbinding had met het vasteland. Op het eiland stonden slechts vierhonderd woningen, die voor het grootste deel meestal onbewoond waren. Op de kade van de ferry controleerden veiligheidsagenten de bezoekers. Je moest door een bewoner zijn uitgenodigd, om op Fisher Island te worden toegelaten. En je woord was niet genoeg: een bewaker belde de bewuste persoon. Als dat niet mogelijk was, werd de bezoeker teruggestuurd. Dit systeem was heel geruststellend voor Sánchez Pastrana. Op die manier liep hij niet het risico op een gegeven moment oog in oog te staan met een of ander kwaadaardige afgezant uit zijn moederland die een rekening kwam vereffenen.

Bovendien was de DEA zo goed geweest wapenvergunningen te geven aan zijn lijfwachten, ook neven van hem, die hun leven aan hem te danken hadden.

Kortom, het kon niet mooier.

Deze deal had slechts één nadeel, en daar viel niet over te onderhandelen. De DEA had hem gewaarschuwd dat wanneer hij

betrokken zou raken bij de smokkel van zelfs het kleinste grammetje cocaïne naar Amerikaanse bodem, hij de rest van zijn leven achter de tralies zou doorbrengen. Maar Sánchez Pastrana had geen geld meer nodig. Hij hoefde niet meer te werken. Hij had zijn fortuin gemaakt en had helemaal geen behoefte meer om nog langer cocaïne te verkopen. Hij was snel gewend geraakt aan het leventje in Miami. Hij bezocht restaurants, ging naar de kapper, bezocht enkele betrouwbare vrienden en zo nu en dan liet hij een prachtige prostituee uit Cali of Medellín komen; hij had nooit aan de Amerikaanse kunnen wennen. Al was het alleen maar om de taal. Spaans had een overvloed aan obscene woorden, die niet in het Engels konden worden vertaald.
Nog steeds op zijn barkruk hangend, keek hij nog een keer naar de skyline van Miami, die in de avondnevel begon weg te zakken. Hij kreeg spijt dat hij niet op het overduidelijke aanbod van Dolores Zapata in was gegaan.
Helaas was dat te veel voor hem.
Er hing inderdaad een schaduw boven dit idyllische landschap: acht maanden geleden, nadat hij een felle pijn in zijn borst had gekregen, was hij met spoed in het cardiologisch centrum Mount Sinai in Miami opgenomen, waar hij tijdens een operatie van tien uur, die hem volkomen had uitgeput, vier bypasses had gekregen. In het verleden had hij de bloemetjes wat al te erg buiten gezet. Zijn eerste infarct had hem geveld toen hij 36 jaar oud was, na een hinderlaag waarin hij maar net aan zijn moordenaars was ontsnapt. Een deel van zijn hartweefsel was afgestorven en dat had zich nooit meer hersteld. Sánchez had zich erin moeten schikken. Bovendien hadden ze drie jaar later diabetes bij hem geconstateerd. Hij moest meerdere keren per dag zijn bloedsuikerspiegel controleren om niet in coma te raken. En omdat een ongeluk nooit alleen komt, hadden zijn nieren een klap gekregen van de operatie. Hij zat tegen een dialyse aan en voelde zich zwak als een kind. Hij kon nauwelijks 10 meter lopen zonder uitgeput in elkaar te zakken.
Zijn artsen waren duidelijk: over enkele maanden zou hij zijn energie ten minste gedeeltelijk terugkrijgen en kon hij een vrijwel normaal leven leiden. Hij zou zich in elk geval niet meer zo

zwak voelen. Hij schaamde zich wanneer hij na enkele stappen al bijna in elkaar zakte. Plotseling walgde hij van zijn luxueuze penthouse en het fantastische uitzicht, zijn dure meubels, zijn spiegels, zijn Perzische tapijten en zijn kroonluchters, die zo uit Versailles afkomstig leken te zijn. Hij zou er alles voor over hebben gehad om weer een jonge, viriele en levenslustige sicario te zijn. Zo was hij veertig jaar geleden geweest. In die tijd zou hij Dolores Zapata al op het vloerkleed in de hal hebben genomen, nog voordat ze een woord hadden gewisseld. Sánchez had altijd van vrouwen gehouden en hij had er een heleboel gehad.

Het geluid van de telefoon deed hem opschrikken en hij haastte zich naar het toestel, dat op een laag tafeltje stond. Wankelend liet hij zich met een vloek op de bank zakken. Op dit telefoontje had hij zitten wachten. 'Doug?'

'Ja,' zei de slepende stem van Douglas Sommer, zijn advocaat. Hij was een van de beste strafpleiters van Miami en hij had een chique kantoor op Brickel Avenue 444, de mooiste laan van de stad, met prachtige gebouwen die in de jaren tachtig van de twintigste eeuw met cokegeld waren gebouwd. Douglas sprak uitstekend Spaans, wat een geruststelling was voor Sánchez Pastrana, die nog niet alle nuances van het Amerikaans kon vatten. 'Heb je goed nieuws?' vroeg de oude narco nieuwsgierig.

Aan de korte aarzeling hoorde hij dat dat niet het geval was. Douglas Sommer antwoordde toch op geruststellende toon: 'Ik heb niet alleen maar slecht nieuws. Wat wil je eerst horen, het goede, of het slechte?'

'Het slechte,' gromde Sánchez gespannen.

'Goed. Op 1 juni word je om acht uur in de gevangenis van Fort Lauderdale verwacht. Ik ga natuurlijk met je mee.'

'Alleen blijf jij buiten,' grinnikte Sánchez Pastrana verbitterd. 'En heb je hierna dan ook nog góéd nieuws?'

'Ja,' antwoordde de advocaat. 'Ik heb de directeur van de gevangenis zelf gesproken. Je zult een vip-behandeling krijgen. Je mag je eigen eten van buiten laten komen en je krijgt zelfs een klein appartement met een kitchenette. Je mag er ontvangen wie je wilt...'

'Een hoer om me te pijpen?' beet de Colombiaan hem kwaad toe.
'Dat moet te regelen zijn,' beaamde de advocaat kalm.
'Ik heb al in geen maanden een stijve gehad,' riep Sánchez Pastrana. 'Ik wil gewoon thuis blijven. Duidelijk? Daar word je voor betaald.'
Douglas stem klonk nu iets harder. 'Beste vriend, ik word niet betaald om wonderen te verrichten. Je hebt een deal gesloten, daar kun je niet onderuit. Anders neem je je Betram en vlucht je naar de Bahama's. Als de kustwacht je tenminste niet onderschept.'
'Dan moet ik mijn medicijnen en mijn ziekenhuis meenemen!' zei de Colombiaan. 'Ik wil niet naar die zwarten... Er moet toch iets aan te doen zijn? Mijn god!'
'Laat Hem erbuiten,' zei Douglas. 'Je moet redelijk blijven. Ik heb alles voor je gedaan wat ik kon. De DEA heeft echt niets tegen je, ze vinden je een prima vent. Niets persoonlijks, weet je? Maar zij moeten ook voorzichtig zijn. Stel je voor wat er gebeurt wanneer een van die gluurders van de pers ontdekt dat je niet achter de tralies bent gegaan, zoals door de rechter is bevolen. Zie je het schandaal al voor je? En dat zou ten koste van jou gaan, want dan is er geen deal meer en verdwijn je voor de rest van je leven in de gevangenis.'
Het bleef lange tijd stil, tot Sánchez met een matte stem zei: 'Gezien mijn leeftijd hou ik het geen jaar in de gevangenis uit. Ik ben ziek. Elke ochtend slik ik genoeg medicijnen om een apotheek op draaiende te houden.'
'Die krijg je in Fort Lauderdale ook,' verzekerde de advocaat hem. 'Sánchez, beste jongen, ik zeg je, er is niets aan te doen, zo is het nou eenmaal. Ik ben je vriend.'
Sánchez antwoordde niet. De advocaat had gelijk. Een jaar gevangenisstraf was niets. Sinds hij op borg vrij was gelaten, had Douglas Sommer het met allerlei smoezen al twee jaar kunnen rekken, maar nu zou hij de bescheiden rekening moeten betalen. 'Goed,' gromde hij. 'Ik ga nu rusten.'
Hij hing op zonder afscheid te nemen, keerde terug naar de bar, klom kreunend van de pijn op de kruk en schonk zich een glas Château-Margaux in.

Carlos Barco pakte de rekening en vouwde hem op met zijn American Express Gold-card erin. Hij was tevreden. Het voorstel dat Dolores Zapata hem zojuist had gedaan, was de onmogelijke droom voor elke narco. En de Colombiaanse was gestuurd door een man die hij volledig vertrouwde, Sánchez Pastrana. Een van de overlevenden uit de tijd waarin Medellín het mekka voor de cocaïnehandel was.
De Colombiaan keek Dolores Zapata met een brede glimlach aan en stelde voor: 'Zullen we nog iets gaan drinken?'
'Graag,' antwoordde ze en ze liet zich van haar kruk glijden, waarbij het interessantste deel van haar dijbeen zichtbaar werd.
'Ik heb thuis champagne,' zei Carlos. 'Daar zitten we beter dan in de bar. Kom mee.'
Terwijl ze op de stoep van Collins Avenue op de parkeerhulp wachtten, sloeg hij gemoedelijk een arm om het middel van Dolores, die zich meteen tegen hem aan drukte. Carlos Barco was een knappe man, precies het soort waar ze van hield. Hoewel hij bij een onenigheid een oog was kwijtgeraakt, was dat vrijwel niet te zien. Maar zijn vroegere vrienden noemden hem 'El Tuerto', De Eénogige. Ze keek naar hem op en voelde zijn snor langs haar gezicht strijken. Drie tellen later kusten ze elkaar innig, spottend bekeken door de andere gasten van het restaurant die ook op hun auto stonden te wachten.
Dolores beantwoordde zijn kus met zoveel vuur, dat hij bijna bang was dat hij haar ter plekke zou nemen. Met moeite konden ze elkaar loslaten toen zijn Mercedes Brabus voor hen stopte. Het was een bolide, een op maat gemaakte coupé, met een motor van 500 pk. Royaal gaf Carlos een fooi van honderd dollar en stapte achter het stuur. Zodra ze de hoek om waren gereden, legde hij zijn hand tussen Dolores' dijen en duwde haar zijden jurk omhoog. Probleemloos bereikte hij haar zwarte slipje. De Colombiaanse liet haar hoofd achterover zakken en rilde van genot: ze hield van mannen die recht op hun doel af gingen. Carlos Barco reed 5th Street in naar Alton Drive, in het oosten van Miami Beach. Bij elk rood verkeerslicht stak hij zijn vingers iets dieper in Dolores' onderbuik. Ze kronkelde op haar stoel, met een half oog in de achteruitkijkspiegel, om te zien of ze niet door een politieauto werden gevolgd. Gelukkig bereik-

ten ze zonder problemen Sunset Harbor Drive 1900, een modern gebouw van 25 verdiepingen, tegenover Biscaye Bay, in Miami. Carlos Barco had daar een penthouse. Hij reed de parkeergarage in en opende met zijn zendertje een ijzeren hek, dat zich achter hen sloot.

In de lift, die ze met een bejaard echtpaar deelden, moest Dolores zich keurig gedragen. Toen ze het appartement van de Colombiaan binnengingen, kon ze een kreet van bewondering niet onderdrukken. Voor het enorme penthouse lag een breed terras waarvandaan de skyline van Miami te zien was. Fantastisch. Alles was in Marokkaanse stijl ingericht en Dolores maakte lachend enkele pasjes als een buikdanseres.

'Hou op, slet,' zei Carlos, die al tot het uiterste gespannen was. 'Ga naar het terras, ik kom zo.'

Ze deed wat hij vroeg, terwijl hij in de keuken verdween. Toen hij terugkwam met een fles Taittinger Comtes de Champagne Blanc de Blancs millésimé 1995 in een ijsemmer, stond Dolores tegen de reling geleund op hem te wachten, haar rug naar het uitzicht en een uitdagende glimlach op haar lippen.

Carlos Barco zette de champagne op een ronde tafel, aarzelde even en kwam toen naar de Colombiaanse toe. Die sloeg haar armen om zijn nek, drukte zich met heel haar lichaam tegen hem aan en drukte haar lippen hard op zijn mond, terwijl ze traag met haar heupen langs de zijne wiegde. Een ware, tropische slet, zoals hij het graag had. Een Amerikaanse zou het zo nooit kunnen doen...

Carlos vergat de champagne, trok haar zijden jurk omhoog en trof haar daar naakt onder aan. Het bloed kolkte door zijn aderen. Dolores had haar slipje uitgetrokken toen hij de Taittinger uit de koelkast had gehaald. Deze gedachte bracht hem in alle staten en binnen een oogwenk had hij een reusachtige erectie. Wild trok hij Dolores bij de reling vandaan en duwde haar op de tafel. Ruw drukte hij haar schouders omlaag en schoof de zijden jurk tot aan haar middel omhoog.

Dolores spreidde al in een heerlijk obsceen gebaar haar benen. Binnen een oogwenk had Carlos zijn riem losgemaakt, liet zijn broek op zijn enkels zakken, trok zijn slip opzij en drong met één stoot in de aangeboden vagina. Meteen duwde hij Dolores'

benen recht omhoog, zodat hij beter in haar kon komen. Ze hijgde van genot. Dát was pas een man! Even genoot ze van de stotende bewegingen van de grote penis, die haar steeds verder leek te vullen, maar het ijzeren tafelblad deed pijn in haar rug.
'Wacht,' fluisterde ze, 'ik wil dat je me staande neemt.'
Galant liet Carlos Barco haar benen los en trok zijn stalen penis uit haar terug. Met verwarde haren en een vuurrood gezicht kwam Dolores overeind en leunde voorover tegen de reling aan. De Colombiaan kwam achter haar staan, schoof opnieuw de jurk over haar naakte billen omhoog en drong meteen diep in haar. Met gekromde rug ontving Dolores hem. Ze slaakte een zucht van genot. Zo had ze het het liefst.
Stevig in haar begraven, begon Carlos in haar te stoten, zijn vingers om haar volle heupen geklemd, zijn blik strak op de skyline van Miami gericht. Tot hij een vurig genot in zijn lenden voelde branden en hij met een rauwe kreet in haar klaarkwam.
Even later, na hun kleren enigszins op orde te hebben gebracht, namen ze plaats aan de tafel. Dolores hijgde nog en Carlos Barco was nog enigszins versuft. Hij kwam als eerste ter zake. 'Is alles wat je me tijdens het eten hebt verteld, echt waar?' vroeg hij achterdochtig. 'Wil die vriend van je echt tien ton coke daarheen brengen waar we maar willen?'
Dolores keek hem verwijtend aan en zei droog: 'Dacht je dat ik alleen met je had afgesproken om met je te neuken? Ik heb een jonge vriend met een pik die veel groter is dan die van jou en die me wel vijf keer achter elkaar kan neuken. Natuurlijk meen ik het serieus!'
Kalm liet Carlos Barco de kurk van de fles Taittinger knallen. Dolores keek hem met een harde blik aan. Hij begreep meteen dat ze niet loog.

Al drie dagen kon Sánchez Pastrana niet behoorlijk slapen. Hij deed alleen maar dutjes. Hoe meer tijd er verstreek, hoe ondraaglijker hij het idee vond terug naar de gevangenis te moeten gaan. Hij had Douglas Sommer zelfs niet teruggebeld, want hij wist bij voorbaat al hoe de advocaat zou reageren. Hij kon niets doen.
Maar sinds die ochtend speelde hij in gedachten met een sluw

idee, dat hij eerst van zich af probeerde te zetten, maar later niet meer. Hij begreep dat de enige die kon voorkomen dat hij in de vip-afdeling van de gevangenis van Fort Lauderdale zou worden opgesloten, hijzelf was. Hij dronk zich extra moed in met een slok Château-Margaux, pakte zijn telefoon en koos een nummer dat hij uit zijn hoofd kende. Een neutrale stem antwoordde meteen: 'DEA Miami, welk toestel wilt u spreken?'
'5485,' antwoordde de Colombiaan.
'Wie wilt u daar spreken?'
'Special agent Jeb Pembroke.'
'Ogenblikje, alstublieft.'
Even later zei een vriendelijke stem: 'Met Jeb Pembroke.'
'Jeb, met mij, Sánchez,' zei de Colombiaan.
'Sánchez, hoe gaat het met jou?'
'Goed, hoor,' verzekerde de Colombiaan hem. 'Ik wil je zo snel mogelijk spreken.'
'Eens kijken,' zei de Amerikaan.
Terwijl de agent zijn agenda inkeek, kwam Sánchez verscheidene keren in de verleiding op te hangen. Een stemmetje schreeuwde hem in dat hij op het punt stond een grote, en ook gevaarlijke fout te maken. Hij hield vol en zei tegen zichzelf dat God het hem wel zou vergeven en dat zijn gezondheid te zwak was om opnieuw de gevangenis in te gaan.
'Wat dacht je van woensdag zeven uur 's avonds?' stelde de Amerikaan voor.
'Uitstekend.'
'Waar?'
'Ik tracteer,' zei Sánchez. 'Wollenski, oké?'
'Uitstekend. Daar hebben ze fantastische steaks.'

2

Dolores Zapata stond op het punt haar kantoor op 23rd Street in Coral Gables te verlaten en naar een smerig, leegstaand huis te gaan, waar kennelijk toch een koper voor was, toen de telefoon ging. 'Carmen, neem jij op!' riep ze naar haar secretaresse, voordat ze de deur achter zich dichtsloeg.

In een straalblauwe hemel schitterde een felle zon en de Colombiaanse voelde zich geheel op haar gemak. Carlos Barco was drie dagen geleden naar Colombia gevlogen en zou die avond terugkomen, na vijf ton cocaïne voor haar nieuwe zakenpartner te hebben verzameld. Daarna zou hij de operatie financieren met behulp van zijn vrienden in Europa, onder wie een Spanjaard die als bankier in Genève werkte, waar hij voor verscheidene kartels geld witwaste. Daar verwachtte ze geen problemen bij.

Dolores bleef naast haar gloednieuwe Mercedes SLK staan. Ze moest indruk maken op haar klanten en in Coral Gables was een auto als deze wel het minimum. Je zag er de grootste SUVS rijden, waaronder het nieuwe monster van Cadillac, de Escalade, en de nec plus ultra, de enorme Porsche Cayenne.

Dat lag allemaal buiten het bereik van Dolores. Het kostte haar al moeite de hypotheek te betalen van haar huis op Hardee Road, midden in het tropische oerwoud, tussen de US-1 en de zee. Voor haar dagelijkse onderhoud moest ze als tussenpersoon optreden voor vervallen villa's of saaie appartementen van nog geen 200 vierkante meter. Om er goed van te kunnen leven, zou ze aantrekkelijk onroerend goed moeten kopen, het opknappen en daarna weer verkopen. Dat was de enige manier om in dit beroep behoorlijk te verdienen. Helaas was daarvoor een flink startkapitaal van enkele miljoenen dollars nodig, en ze had nog geen bankier bereid gevonden haar dat krediet te geven. Al had ze het wel geprobeerd: ze was met vrijwel alle bankiers in Dade County naar bed geweest. Maar ze was geen Amerikaanse en haar achtergrond verschafte haar geen solide basis. Net toen ze in de SLK stapte, kwam haar secretaresse haar achterna. 'Ik heb

meneer Vincent aan de telefoon. Hij zegt dat het belangrijk is en hij heeft uw nieuwe mobiele nummer niet.'
Dolores Zapata verstrakte. Ze kende maar één Vincent. Vincent Shedd, special agent van de DEA, die ze na de moord op haar man had ontmoet. Hij was een knappe, blonde jongen, nonchalant en gespierd, die voor een surfer kon doorgaan. Hun beroepsmatige contacten waren al snel overgegaan in een intiemer, erotisch contact en ze ontmoetten elkaar nog regelmatig. Op zaterdagavond kwam Vincent Shedd soms naar een dvd kijken op het grote televisiescherm van Dolores in het pool-house van het zwembad, waarna ze de liefde bedreven en zwommen.
Vincent wist dat Dolores veel contacten had met Colombiaanse narco's, maar omdat haar naam nooit ergens was genoemd, vond hij het geen probleem. Dolores genoot van de seksuele kracht van de jongen, die jonger was dan zij en haar als een god neukte. Soms zelfs in de maneschijn in het zwembad.
Wat zou hij willen?
'Zeg maar dat ik eraan kom,' zei ze verbaasd, terwijl ze het portier van de SLK sloot.
Ze keerde terug naar haar kantoor en pakte de telefoon over uit de hand van haar secretaresse. 'Vincent? Hoe gaat het ermee?' zei ze enigszins buiten adem.
'Goed, heel goed,' antwoordde de agent van de DEA.
'Wil je een film komen kijken?' vroeg ze. 'Zaterdag ben ik bezet.'
'Nee, nee,' antwoordde Vincent met zijn ietwat lome stem. 'Zaterdag ben ik de stad uit. Maar ik wil je eerder spreken. Kunnen we om halfeen in het Porcao afspreken?'
Zijn stem klonk niet anders dan anders, maar toch kreeg Dolores een droge keel. Uit haar ooghoek keek ze naar het nummer op het schermpje van haar telefoon. Het was niet dat van Vincent bij de DEA, noch dat van zijn mobiel. Hij belde dus uit een telefooncel, zodat ze het gesprek niet konden herleiden. Dat was alarmerend, en snel antwoordde ze: 'Geen probleem. Tot straks, om halfeen.'
Plotseling had ze helemaal geen zin meer om naar het huis te gaan waar een klant op haar stond te wachten.

Dolores zag Vincent in de schaduw bij de bar van het Porcao staan en meteen liep ze naar hem toe. Hij liet zich van zijn kruk glijden en kuste haar glimlachend vluchtig op haar mond. Hij zag er altijd even knap en verleidelijk uit in zijn afgedragen, leren jack en spijkerbroek. Ze namen in het restaurant plaats aan een enigszins afzijdig staand tafeltje en bestelden ijsthee. Meteen begonnen de vleesbedienden aan hun ronde. Het Porcao was een Braziliaans restaurant en er werd vooral Argentijns vlees opgediend. Onophoudelijk liepen de obers langs de tafels en boden de klanten pennen met telkens andere soorten vlees aan. Het was heerlijk en je mocht nemen zoveel je wilde. Het Porcao lag in het zuiden van Miami en het had Dolores weinig tijd gekost er te komen. Terwijl Vincent Shedd op zijn bestelde lamsbout wachtte, zei hij: 'Ik heb gisteren je naam horen noemen.'
'Waar?'
'Op kantoor.'
Dolores Zapata's hart leek even stil te staan en ze legde haar vork neer. Plotseling smaakte haar thee bitter. 'En daarom wilde je me spreken?'
Hij keek haar aan met een ontwapenende glimlach, die ze zo goed kende en haar helemaal week maakte. Het was of haar benen vanzelf uit elkaar gingen. Toch was dit er niet het juiste moment voor.
'Ja,' zei de agent van de DEA. 'Je weet dat ik je graag mag. Je bent eerlijk. Je hebt me nooit ergens om gevraagd. Dus als je van plan bent iets doms te doen, hoop ik niet dat ik je straks naar 13th Street moet brengen.'
Daar was het huis van bewaring in Miami gevestigd.
Dolores glimlachte moeizaam en met een droge mond zei ze: 'Ik ben niks doms van plan, maar vertel maar wat je hebt gehoord.'
'Goed. Ik deel mijn kantoor met een aardige man, een senior officer. Gisteren werd hij door een informant van hem gebeld, een voormalige narco, een Colombiaan die zich heeft teruggetrokken.'
Dolores' hartslag schoot omhoog en voordat ze zich kon beheersen, vroeg ze: 'Sánchez Pastrana?'
Vincent Shedd keek haar scherp en enigszins teleurgesteld aan.

'Ken je hem dan?'
De Colombiaanse besefte dat ze zich had versproken en ze probeerde het goed te maken. 'Natuurlijk ken ik hem. Mijn man heeft voor hem gewerkt. En je had het over een "voormalige" narco. Ik geloof dat hij de enige in Miami is.'
Vincent drong niet verder aan en vervolgde: 'Goed, hij was het inderdaad. Hij vertelde Jeb een ongelooflijk verhaal en daarna heeft hij meteen het kantoor gealarmeerd. Ze zijn in alle staten.'
'Wat was het dan voor verhaal?' vroeg Dolores schor.
'Dat er een deal wordt voorbereid tussen een kartel en een Saoedische prins, die zich bereid zou hebben verklaard tonnen cocaïne voor hen te transporteren. Natuurlijk barstte de baas van Jeb bijna uit zijn vel en wilde hij er meer van weten.'
'En wat heb ik daarmee te maken?' vroeg Dolores.
De agent van de DEA keek op en zei slechts: 'Jij zou de spil in de zaak zijn.'
Het lukte Dolores te glimlachen en ze zei: 'Mooi is dat!'
Haar geliefde maakte een nonchalant gebaar. 'Toen moest ik eraan denken dat je ooit had verteld dat je lang geleden een Arabier als minnaar hebt gehad.'
'Dat was twintig jaar geleden! Dit is grote onzin. Maar toch bedankt dat je het hebt verteld.'
'In elk geval,' vervolgde de agent van de DEA, 'heeft mijn maat Jeb een dezer dagen met Pastrana afgesproken. Ze hebben een afspraak bij Wollenski gemaakt, maar ik weet niet precies wanneer.'
Dolores deed of ze het niet hoorde, maar ze prentte zich de naam van het restaurant goed in. Toen legde ze haar hand op die van Vincent. 'Als het je zou lukken je voor zaterdag vrij te maken, zal ik ook kijken wat ik kan doen,' stelde ze voor.
'Nee,' zei hij. 'Ik ben de stad uit.'
Ze beëindigden hun maaltijd met koffie en hij was zo vriendelijk de rekening te betalen. Uit voorzorg betaalde hij contant. Hij wist dat hij een risico nam door Dolores vertrouwelijke informatie te vertellen. Maar hij hield van haar en hij geloofde eigenlijk niet helemaal dat het waar was...
Ze liepen naar de uitgang en lieten hun auto halen. Dolores Zapata stond te wankelen op haar benen en het lukte haar nau-

welijks te blijven glimlachen. Maar inwendig kookte ze. Als ze die oude schoft Sánchez Pastrana in handen kreeg, zou ze zijn hart met haar tanden uitrukken.

Zijne doorluchtige hoogheid prins Malko Linge zat in smoking aan tafel met zijn verloofde, de altijd even mooie gravin Alexandra, die was gekleed in een eenvoudige japon met een uiterst diep decolleté. Ze hadden voor een intiem dineetje laten opdienen in de kleine eetzaal.
De zestien kaarsen in de grote kandelaar die tussen hen in stond, verspreidden een zacht licht op de houten betimmeringen en lieten Alexandra er nog mooier uitzien dan ze al was.
Er werd zacht op de deur geklopt en Elko Krisantem, de huismeester en lijfwacht, kwam binnen met een zilveren blad met daarin het wapen van de Linges gegraveerd, waarop een kristallen kommetje met zwarte kaviaar stond. Die had Malko tijdens zijn laatste reis uit Rusland meegenomen.
Elko liep naar Alexandra, die ruimschoots opschepte. Malko nam de rest, waarop de Turk stilletjes verdween.
Het was een eenvoudige maaltijd: kaviaar, jonge kropsla, apfelstrudel en natuurlijk Stolychnaja Cristal. Zo nu en dan hield Malko ervan zich helemaal in deze verfijnde omgeving te laten gaan, om niet te vergeten wie hij werkelijk was: een van de laatste afstammelingen van de Europese aristocratie.
De kaviaar was al snel op, evenals de apfelstrudel.
'Zullen we koffiedrinken in de bibliotheek?' stelde Malko voor. Dat was een ruimte waarin ze vaak hadden 'geflirt'. Ze stonden tegelijk op en toen Alexandra langs hem liep, kon Malko zich niet inhouden en pakte hij haar om haar middel. 'Je ziet er vanavond weer prachtig uit.'
Ze glimlachte. 'Alleen vanavond?'
Malko liet een hand langs haar heup glijden en hij voelde het bandje van een jarretel. Hoe hij ook gewend was aan Alexandra's verleidingen, elke keer genoot hij er weer ten volle van. Hij trok haar naar zich toe en plagerig vroeg ze: 'Wil je geen koffie meer?'
Daar dacht hij al niet meer aan. Even streelden ze elkaar, en hun ademhaling ging steeds sneller. Malko wilde Alexandra al naast

de kandelaar op de tafel neerleggen, toen zijn telefoon ging. Met zijn rechterhand tussen de dijen van de jonge vrouw, nam hij met zijn linker- op, terwijl hij met een snelle blik op zijn Breitling Aerospace keek hoe laat het was: tien over elf. Wie kon hem nu nog bellen?
'Meneer Malko Linge?'
De stem had een sterk, Amerikaans accent.
'Ja.'
'Ik ben Matthews Jameson, van de Amerikaanse ambassade in Wenen. Ik heb een boodschap voor u. U moet met spoed een visum voor Saoedi-Arabië aanvragen.'
'De ambassade van Saoedi-Arabië is op dit uur gesloten,' merkte Malko op, terwijl hij Alexandra's slipje langs haar dijen omlaag trok.
'Natuurlijk, meneer, maar morgenochtend...'
'Doe ik,' zei Malko toen, en meteen verbrak hij de verbinding.
Tien tellen later drong hij diep binnen in Alexandra's onderbuik, terwijl hij zich afvroeg waarom de CIA hem in godsnaam naar Saoedi-Arabië wilde sturen.

'Señor Carlos Barco op lijn 2,' zei de secretaresse van Dolores Zapata.
De Colombiaanse nam gespannen het gesprek over. De vrolijke stem van de narco schetterde in de hoorn.
'Hoe gaat het, *cariña*? Ik ben net geland. Weet je...'
Dolores onderbrak hem meteen. 'Goed. Zullen we ergens gaan eten?'
'Eten? Ik ben doodmoe. Zullen we morgen ergens gaan lunchen? In Nikki Beach?'
'Nee, vanavond nog,' zei Dolores droog. 'Het is erg belangrijk.'
Carlos Barco had genoeg problemen meegemaakt om aan te voelen dat Dolores er een gegronde reden voor had hem uit zijn slaap te houden. Hij gaf toe. 'Goed dan. Om zeven uur in het Prime 112. Mag ik nog even douchen?'
'Natuurlijk,' zei Dolores tevreden.
Nadat ze had opgehangen, stak ze peinzend een sigaret op. Ze had al een plan bedacht, maar haar partner moest ermee akkoord gaan. En dat viel nog maar te bezien. Carlos Barco

nam niet graag risico's. Ze keek op haar horloge. Nog bijna twee uur gespannen wachten. Elke keer wanneer ze aan Pastrana dacht, gloeide de haat op in haar borst. En dan te bedenken dat ze bereid was geweest zich door die oude schoft te laten pakken!

Carlos Barco bekeek zijn New York-steak alsof hij vergiftigd was. Toch zag die er fantastisch uit: groot, *medium done*, met een grote aardappel ernaast. Het Prime 112 stond erom bekend de beste steaks van Miami Beach te serveren. Dolores Zapata zat tegenover hem te roken. Haar gezicht stond hard. Het lawaai in deze populaire brasserie aan Collins Avenue in South Beach isoleerde hen van de rest van de wereld. Ze hadden een tafel in de buurt van de bar gekregen, dicht bij de tuin, en je zou een microfoon pal onder hun neus moeten houden om te verstaan wat ze zeiden.
Omdat ze hun borden niet aanraakten, kwam er een ober naar hen toe. 'Is er iets niet goed?' vroeg hij.
'Nee, nee, daar gaat het niet om,' verzekerde Dolores hem, terwijl ze haar vork pakte. 'Het vlees is uitstekend.'
Er verscheen een glimlach op het gezicht van de ober. 'Eet smakelijk,' zei hij, nadat hij hun glazen had bijgeschonken.
Zodra hij zich had omgedraaid, boog Carlos zich over de tafel. Hij had sinds zijn aankomst nog weinig kans gehad iets te zeggen. Dolores Zapata had verteld wat er was gebeurd. Nu drong de omvang daarvan pas tot hem door. 'Dat is een groot probleem,' gaf hij toe, 'en je bezorgt me een hoop last. Ik heb afgesproken dat de handel over tien dagen in Caracas aankomt. En dat was niet eenvoudig. Juan Clemente staat garant voor de financiering. Hij vraagt slechts vijftien procent en hij is volkomen te vertrouwen. Maar helaas, ik stap morgen wel op het vliegtuig om alles af te zeggen.'
Dolores keek hem somber aan. 'Dat kost je minstens tien miljoen dollar.'
Carlos sneed een stuk van zijn vlees af. Maar hij kreeg geen hap door zijn keel. Hij legde zijn vork weer neer. 'Goed,' zei hij op bijna dreigende toon. 'Wat stel je voor? De operatie laten doorgaan met al die gekken van de DEA op onze nek? Weet je hoe-

veel dat ons kan kosten? We zijn verraden en ik heb geen zin om op de vlucht te slaan. Ik hou van Miami. We vinden wel weer iets anders.'

De stem van Dolores klonk als een zweepslag. 'Nooit meer zoiets als dit. Zonder énig risico. Vijf ton. Weet je hoeveel dat waard is? Na aankomst worden we betaald, en dan...'

Ze maakte een gebaar waarmee ze een zonnige toekomst aangaf. Carlos Barco stikte bijna. 'Zonder risico!' herhaalde hij. 'Hou je me voor de gek? En die smerissen dan, die achter ons aan zitten? Is dat dan geen risico?'

De Colombiaanse zei koel: 'We krijgen niemand achter ons aan. Want we laten de handel niet hierlangs komen. Er komt geen grammetje de Verenigde Staten binnen. Dat heb ik je al uitgelegd.'

'En jij denkt dat onze vrienden in Fort Lauderdale hun vriendjes in Caracas en Spanje niet waarschuwen? Ook al heeft die prins van je een diplomatiek paspoort, dat geldt niet voor ons.'

Dolores keek naar haar vlees, dat koud werd. Een koude New York-steak is niet te eten. Ze was tot het uiterste gespannen en ze was vastbesloten niet uit het restaurant te vertrekken voordat ze haar partner zou hebben overtuigd. Voor haar was het bijna een kwestie van leven of dood. Het vooruitzicht aan een rottig leventje te ontsnappen en daarna eindelijk op een legale manier behoorlijk geld te kunnen verdienen. Het werd hoog tijd: na je veertigste gaat het hard.

'Goed,' zei ze kalm. 'Ik geloof dat je het niet hebt begrepen. We moeten tijd zien te rekken. Hooguit twee of drie weken. Er is slechts één probleem: die hoerenzoon Pastrana. Hij is de enige die iets van deze zaak afweet, want ik heb hem om raad gevraagd.'

'En hij weet dat ik meedoe.'

'Natuurlijk,' gaf de jonge vrouw toe. 'Hij is het enige probleem. Maar een probleem dat valt op te lossen...'

Zwijgend stak ze een sigaret op en blies langzaam de rook uit. Carlos Barco boog zich naar haar toe. Hij had het begrepen. 'Bedoel je dat Pastrana uit de weg moet worden geruimd?'

'Heb je daar problemen mee?'

Carlos Barco had in Medellín tientallen doden op zijn geweten,

moorden die hij door sicario's had laten uitvoeren. En hij had er nooit over wakker gelegen. Toch haalde hij zijn schouders op. 'Goed, ik begrijp het. Weet je waar Pastrana woont? Op Fisher Island. Kortom, daar kun je alleen komen wanneer hij ons uitnodigt. En zelfs als het ons lukt de ferry te omzeilen, zit hij veilig in een penthouse, met overal lijfwachten. Je kunt zelfs de lift niet nemen zonder magneetpas. En hij heeft vier sicario's, die hem geen moment uit het oog verliezen. Ze worden te goed betaald om het risico te willen lopen hun baan te verliezen. Misschien wil je er zelf naartoe gaan?' vroeg hij spottend. 'Hij zal jou wel naar boven laten komen. Maar dat laat sporen na.'
'Dat klopt,' gaf Dolores toe. 'Maar hij komt uit dat fort van hem naar buiten. Dat heb ik je al verteld. Hij heeft in het Wollenski afgesproken met een vent van de DEA, en ik weet zelfs hoe hij heet.'
Carlos fronste zijn wenkbrauwen. 'Moet ik hem opwachten wanneer hij van de boot komt? De steiger is afgesloten en gepantserd. Je kunt hem alleen treffen met een raketwerper, en die heb nou even niet bij de hand.'
'Nee,' bracht Dolores daar kalm tegenin, 'we moeten wachten tot hij in het restaurant is. Daar zit hij open en bloot. En je kent het Wollenski, dat is in de openlucht.'
De narco keek haar aan of ze iets obsceens had gezegd en fluisterde op enigszins geschrokken toon: 'Je hebt gelijk. En daar zit hij ook niet meer in zijn auto. Maar de sicario's zijn er wel nog. Hij gaat niet zonder hen op stap. Bovendien is hij niet alleen, die vent van de DEA is er ook.'
Toen Dolores Zapata niets zei, begreep hij plotseling wat de jonge vrouw van plan was. 'Mijn god, wil je die ander ook om zeep helpen?'
Sinds de jaren tachtig had niemand meer een special agent van de DEA omgebracht. En zeker niet in koelen bloede. Carlos Barco kreeg er kippenvel van. Als hij zoiets deed, zouden ze hem tot in lengte van dagen opjagen.
'Ja,' antwoordde Dolores kalm. 'Ze moeten er allebei aan.'

3

'Je bent gek!' zei de narco zacht. Hij voelde zich alsof alle klanten hun conversatie volgden. 'Een vent van de DEA omleggen. Dan blijven ze je tot in de hel achtervolgen.'
Dolores Zapata keek hem recht aan en zonder met haar ogen te knipperen, zei ze: 'Ik ben hier degene die risico loopt. Het is míjn naam die is genoemd. Niemand, behalve die schoft Pastrana, weet dat jij eraan meedoet. Als er problemen van komen, zullen ze naar mij toe komen, en je kent me: van mij krijgen ze geen woord te horen. Als we hen niet allebei te pakken nemen, dan heeft het geen zin. Hoe wil je de mensen die je in Medellín hebt gesproken, uitleggen dat ze hun handel weer ver weg in het oerwoud kunnen opbergen? Denk je dat ze dat leuk zullen vinden? Dan ben jíj degene op wie ze het zúllen verhalen.'
Carlos Barco reageerde niet meteen. Dolores had gelijk. Zijn huid stond ook op het spel. De Colombiaanse voelde aan dat dit het moment was waarop ze moest doorzetten. Terwijl ze hem strak aankeek, zei ze, duidelijk articulerend: 'Een dergelijke operatie, zonder enig risico, zo'n kans krijg je nooit van je leven meer. Mijn vriend is bereid zo veel handel te transporteren als we hem geven kunnen. En het maakt niet uit waar op de wereld het naartoe moet. Behalve de Verenigde Staten. De leveranciers zullen je op hun blote knieën smeken mee te mogen doen. Tien, twintig, dertig ton. Zodra die twee de mond is gesnoerd, weet niemand nog ergens van. In het ergste geval zullen ze zich op mij richten. Amerika staat er helemaal buiten. We verdienen er miljoenen aan.'
Ze zag dat de Colombiaan aarzelde en ze besloot door te zetten. 'Ben je nog bevriend met de Mexicanen van "Los Antrax"?'
'Ja,' gaf Carlos Barco zwakjes toe.
'Goed, zij kunnen het doen en ze deinzen nergens voor terug. Bovendien zijn ze niet duur.'
De bende van Los Antrax bestond uit een groep Mexicanen die tegen betaling iedereen vermoordde die je maar wilde. Het waren beesten. Uiterst gevaarlijk, maar ze stelden geen vragen.

Voor vijftigduizend dollar zouden ze keurig werk leveren. Carlos Barco aarzelde nog steeds. Hij opperde nog een laatste bezwaar: 'Het lukt alleen wanneer we precies weten wanneer en waar Pastrana en die smeris van de DEA zijn. En alleen de dag is niet genoeg. Ik ken die kerels van de DEA, die reserveren niet onder hun eigen naam, en Pastrana ook niet. Als we hem vanaf de pont van Fisher Island volgen, zullen ze het merken. Bovendien...'
Dolores Zapata schudde vastbesloten haar lange, kastanjebruine haar. Ze had haar troefkaart tot het einde bewaard. 'Ik zei al dat ze naar Wollenski gaan. Ik ken iemand die er werkt. Een betrouwbare jongen die wel meer voor me heeft gedaan. Hij waarschuwt ons wanneer hij meer weet. Hij kent Pastrana van gezicht. We moeten alles gewoon goed van tevoren organiseren. Met die sicario's hebben we minstens twee man nodig. Misschien wel drie. En ze moeten erna snel weg kunnen komen.'
Carlos Barco voelde zelf al dat hij op het punt stond toe te geven. Die meid was harder dan veel mannen, maar ze had gelijk: zonder risico tonnen cocaïne transporteren was nog nooit iemand gelukt. Hij probeerde er nog een laatste keer iets tegen in te brengen: 'Kun je die "transporteur" van jou vertrouwen? Ik hou niet zo van Arabieren.'
'Net zo goed als dat je mij kunt vertrouwen,' antwoordde Dolores met een stem die geen tegenspraak duldde. 'Ik ken hem al twintig jaar. Hij kwam met het idee.'
'Waarom? Hij heeft toch al geld genoeg.'
Het gezicht van de Colombiaanse vertrok. 'Dat moet je hem zelf vragen. Hij vindt geld verdienen gewoon leuk. Net als iedereen.'
Ze begon te eten, alsof ze niet zojuist tot een dubbele executie hadden besloten. Carlos Barco riep de ober en vroeg om een dubbele Defender met veel ijs. Die had hij nodig om de knoop in zijn maag op te lossen. Stilletjes had hij ontzag voor Dolores. Ze heeft ballen, zei hij bij zichzelf. Ze waren tegelijk klaar met hun New York-steaks en Dolores keek op haar horloge. 'Goed, ik ga naar die jongen die ik bij Wollenski ken. Jij zorgt voor de rest. Vanaf morgen moet alles klaarstaan. We spreken morgenmiddag om twaalf uur in de Nikki Beach af.'

Ze stond op en toen ze langs de Colombiaan liep, streek ze met haar lange haar langs hem en fluisterde in zijn oor: 'Daarna gaan we in Las Vegas feestvieren.'
Haar volle borsten drukten in een stille uitnodiging tegen zijn schouder. Maar helaas liep ze al verder naar de deur.

Dolores parkeerde op het enorme parkeerterrein achter het restaurant Smith & Wollenski. Dat lag op het uiterste puntje van South Beach, vlak langs het kanaal naar de haven, gescheiden door een pad waarop veel fietsers en wandelaars te vinden waren. Het restaurant bestond uit verscheidene zalen en een langwerpig terras aan de kant van het kanaal. Het was er altijd druk. Dolores koos op haar mobiel het nummer van het restaurant en vroeg in het Spaans Fausto te spreken. In Miami was veertig procent van de bevolking Spaanstalig en ze kon nu beter Spaans dan Engels praten. Ze hoorde dat Fausto werd geroepen en even later nam hij op. 'Goedenavond,' zei hij. 'Met wie spreek ik?'
'Met Dolores,' zei de Colombiaanse. 'Hoe gaat het ermee, Fausto?'
'Hoe gaat het met u, *señora* Dolores?' vroeg de jonge Colombiaan met een vriendelijke stem. 'Met mij gaat het goed, maar vast lang niet zo goed als met u.'
'Zou je iets voor me willen doen?'
'Natuurlijk.'
'Mooi. Kunnen we elkaar ergens spreken?'
Verlegen zei de jongeman meteen: 'Ik werk tot vanavond laat, tot middernacht. Kan ik u bellen?'
'Ik sta op het parkeerterrein achter het restaurant,' zei Dolores. 'Heb je misschien vijf minuutjes? Ik sta op de laatste rij achteraan. Een blauwe Mercedes SLK.'
Fausto aarzelde slechts enkele tellen. 'Goed, ik kom eraan.'
Dolores stak een sigaret op om haar onrust te verbergen. Ze was vastbesloten tot het einde te gaan. Zo'n fortuin zou ze niet tussen haar vingers door laten glippen. Ze zag de jonge Colombiaan aan komen rennen en ze deed het portier open. Hijgend stapte hij in en vol bewondering keek hij haar aan. 'Wat bent u toch mooi,' zei hij met een strakke blik op haar grote borsten en fel opgemaakte mond.

Zelf was hij ook een knappe jongen, met donker, glad haar en een haviksneus. Zijn huid was vrij donker en hij had brede schouders. Ze zag hoe zijn grote penis zich in zijn broek aftekende. Ze kreeg het er meteen warm van.
'Goed,' zei ze meteen, 'kun jij in het boek met reserveringen van het restaurant kijken?'
'Natuurlijk. Waarom?'
'Ken je ene Sánchez Pastrana?'
'Die oude man die op Fisher Island woont? Hij komt regelmatig. Hij neemt altijd kreeft. Waarom?'
'Een dezer dagen komt hij langs,' zei de Colombiaanse. 'Maar ik weet niet zeker of hij op zijn eigen naam zal reserveren. Zou je me kunnen bellen zodra je hem ziet binnenkomen? Dat is alles.'
Fausto gaf geen antwoord. Toen Dolores hem aankeek, sloeg hij zijn blik neer en ze begreep dat hij zich afvroeg waarom. Hij wist ook hoe het er in de wereld van de narco's aan toeging.
'Vind je het moeilijk dat voor me te doen?' vroeg ze met een ontspannen stem.
Fausto bleef zwijgen. Op zijn voorhoofd stond een diepe frons. Dolores begreep dat ze hem moest motiveren. Hij was bang.
'Je loopt geen enkel risico,' zei ze met een zachte stem. 'En je zou me er een heel grote dienst mee bewijzen. Ik zal je belonen.'
Zogenaamd per ongeluk legde ze haar hand hoog op het dijbeen van de jongeman en haar vingertoppen streken langs de stof die zich om zijn geslachtsdelen spande. Vanuit haar ooghoek zag ze hoe zijn adamsappel heftig op en neer ging en met een verstikte stem zei hij: 'Goed, ik zal u helpen, señora Dolores. Altijd wanneer señor Pastrana komt eten, stuurt hij om een uur of vier een van zijn mannen om tafels te reserveren.'
'Tafels?'
'Een voor hem en zijn vrienden en een voor zijn sicario's. Vaak zijn ze met zijn vieren. Twee aan een tafel en twee die het parkeerterrein en het terras in de gaten houden. Soms komen er ook muzikanten.' Hij keek op zijn grote, goedkope horloge. 'Ik moet nu gaan. Geeft u me uw telefoonnummer?'
Zijn hand lag al op de portierkruk. Dolores Zapata zei meteen

met een sensueel klinkende stem: 'Bel me niet. Kom naar me toe. Je weet toch waar ik woon, in Coral Gables? Dat is hier niet ver vandaan.'
'Ja, natuurlijk.'
'Goed. *Vaya con Dios*. Ik reken op je.'
Met enige spijt trok ze haar hand terug van zijn dij en ze zag dat de bobbel in de spijkerbroek groter was geworden.

Het Nikki Beach was een strandgelegenheid aan South Beach die iets van zee af lag. Voor de gasten lagen er banken met sneeuwwitte matrassen, maar het was er nu leeg en de banken lagen er verlaten bij in de brandende zon. Dolores Zapata legde haar spullen op een bank naast haar en trok haar rok en blouse uit. Carlos Barco zat even verderop aan een tafel van het restaurant. Ze keek discreet zijn kant op en liep toen naar het brede strand. De Colombiaan ging even later achter haar aan en met hun voeten in de kabbelende golven van de Atlantische Oceaan praatten ze met elkaar, tot ze bij het huisje van de strandwachten waren.
'Ik heb mijn vriend gesproken,' zei ze. 'Hij waarschuwt me als het zover is. Dan hebben we drie tot vier uur om in actie te komen. Pastrana wordt altijd beveiligd door twee tot vier sicario's. Aan een tafel en in het restaurant. Het zal vanavond of morgen worden. En jij, heb je de mannen van Los Antrax gesproken?'
'Ja,' antwoordde de Colombiaan.
'Doen ze het?'
'Ja. Vijftigduizend dollar, plus onkosten. Je kunt volledig van hen op aan.'
'Hoe waarschuw je ze?'
'Ik heb een mobiel nummer. Eerst gaan ze de omgeving verkennen en bekijken ze hoe ze erna weg moeten komen.'
'Heb je het met hen over die smeris gehad?'
Carlos keek naar de golven die om zijn enkels spoelden. 'Nee,' gaf hij toe. 'Ik heb alleen gezegd dat het doelwit gewapend en beschermd kan zijn. Weet je zeker dat hij komt? Besef je wel wat voor gevolgen dat zal hebben?'
'Ik ben degene die alles over zich heen zal krijgen,' zei Dolores

Zapata. 'Op die rat Pastrana na, weet niemand dat jij er iets mee te maken hebt. We geven het nu niet op. Goed, ik ga aan het werk. Zodra ik het weet, bel ik je vanuit een telefooncel. En dan vraag ik je of je met me wilt gaan eten. Duidelijk?'
'Duidelijk.'

Dolores Zapata lag languit op een chaise longue aan de rand van haar zwembad. Haar ogen gingen verborgen achter een zonnebril en ze probeerde de *Cosmopolitan* te lezen, maar de letters dansten voor haar ogen. Er was al bijna 48 uur verstreken en Fausto had nog niets van zich laten horen. Terwijl volgens de informatie van haar vriend bij de DEA het etentje van Pastrana niet lang op zich zou laten wachten. Als de jonge Colombiaan haar liet stikken, zou haar hele plan mislukken. De DEA zou haar oppakken of op zijn minst laten schaduwen en afluisteren. Dan kon ze die miljoenen dollars wel vergeten.
De deurbel van haar villa deed de adrenaline door haar aderen spuiten. Ze verwachtte niemand, behalve...
Ze stond op om open te doen, gekleed in een zwart jack dat aan de voorkant was dichtgeknoopt en een hotpants met panterprint. Het broekje was uiterst kort en omhulde haar schaamlippen met anatomische nauwkeurigheid. Ze liep de donkere hal in, deed de voordeur open en knipperde met haar ogen naar het felle zonlicht.
'Señora Dolores?'
Het was de verlegen stem van Fausto. Meteen trok ze de deur wagenwijd open, overspoeld door een intens gevoel van opluchting. 'Faustino, kom binnen.'
Hij liep verder en bleef rillend staan: door de airco was het ijskoud in de hal. Dolores kon de jongeman nauwelijks zien. Ze liep heupwiegend terug naar het zwembad, gevolgd door de jonge Colombiaan. De hoge hakken van haar muiltjes tikten op de tegelvloer. Ze keek pas om toen ze bij de chaise longue was en haar zonnebril had afgezet. 'Wil je wat cola?'
Fausto stond tegenover haar, gekleed in een strak, wit T-shirt en zijn gebruikelijke spijkerbroek. Hij schudde zijn hoofd. Dolores zag meteen dat hij zijn blik niet kon afhouden van haar borsten, die enigszins uit het jack naar buiten puilden. Toen liet hij

zijn hoofd iets zakken en staarde naar haar door de strakke panterstof omspannen kruis. Met verstikte stem zei hij: 'Señor Pastrana heeft een tafel voor twee om zeven uur gereserveerd en een voor zijn sicario's. Op het terras. Nummer 24, aan de rand aan de oostkant.'
Hij had de woorden er in één keer uit gerateld. Ze lieten vurige sporen na in Dolores' hoofd. Toen liep ze naar de jonge Colombiaan en glimlachte hem toe. 'Heel erg bedankt,' fluisterde ze met een rauwe, sensuele stem. 'Wil je echt geen cola?'
Fausto schudde zijn hoofd, niet in staat enig geluid uit te brengen. Het was of de in de zon gebruinde borsten die door het jack werden omspannen, ieder moment in zijn gezicht konden springen. Maar wat hem nog meer intrigeerde, was haar hotpants en wat hij eronder zag.
'Wil je iets anders?' vroeg Dolores.
Toen Fausto geen antwoord gaf, nam ze hem vragend op en zag de bobbel in het kruis van zijn broek. Ze vond de aanblik niet onaangenaam. Het was opwindend om te zien dat een jongeman die van half haar leeftijd was in vuur en vlam voor haar stond. Het was dan ook niet alleen om hem te belonen, toen ze haar vingers zacht over de bult in zijn broek liet glijden. Als een spel...
Fausto slaakte een verstikte kreet. Hij stak zijn handen uit en rukte het jack open, waarmee hij haar grote, stevige borsten ontblootte. Als een waanzinnige begon hij ze te kneden en hij duwde Dolores naar de chaise longue, waar ze zich lachend op liet zakken. 'Faustino, ben je gek geworden?'
Over haar heen gebogen, liet Fausto zijn hand naar haar hotpants glijden en hij klemde zijn vingers om haar venusheuvel. Met zijn andere hand probeerde hij onhandig de short open te maken. Hij hijgde en in zijn ogen stond een strakke, waanzinnige blik. Dolores hield haar hoofd koel en begreep dat ze er een vijand bij zou maken wanneer ze hem wegduwde. Hij was te opgewonden. Maar aan de andere kant had ze geen zin zich door hem te laten nemen. God mocht weten wat hij allemaal had. Ze was 44 jaar oud en wilde niet ten onder gaan aan aids. Met een beslist gebaar trok ze de riem van zijn spijkerbroek los, maakte de rits open en haalde een kromme, stijve penis uit zijn

zwarte slip. Ze hoefde maar naar voren te buigen om hem voor een flink deel in haar mond te laten glijden. Hij smaakte zilt. Hij had zich gewassen. Als verlamd liet Fausto de hotpants los. Zijn broek was op zijn enkels gegleden. Het was of God zelf aan zijn ziel likte. Toen hij hier als tuinman werkte, had hij nooit durven dromen dat señora Zapata ooit zijn penis in haar mond zou nemen. Hij had zich weliswaar vaak bevredigd met haar in gedachten, maar meer dan een droom was het nooit geweest.
De warme huls van haar mond en haar flitsende tong deden hem er nog meer naar verlangen zijn penis in de vagina van de vrouw te steken. Hij wilde zich van haar losmaken, maar Dolores hield vol en ze pakte met haar hand de wortel van zijn geslachtsdeel vast. Ze deed haar uiterste best en al na enkele tellen slaakte Fausto een kreet van genot en kwam hij in haar mond klaar. Binnen enkele seconden was het voorbij. Voorzichtig duwde Dolores hem van zich af. 'Ik verwacht een klant,' fluisterde ze. 'Je moet nu gaan.'
Ze stond op, knoopte haar jack dicht en kneep nog eens stevig in de penis die ze zojuist had bevredigd. 'Je hebt een heel fijne pik,' zei ze. 'De volgende keer mag je me eens lekker nemen. Ik bel je. Nu moet je gaan.'
Verbaasd kleedde Fausto zich aan. Binnen een oogwenk was hij klaar. Dolores liet hem uit en wachtte tot hij was weggereden in zijn oude, witte Mustang cabrio. Toen haalde ze een fles Defender Success uit de bar en nam een slok uit de fles om de smaak van sperma weg te spoelen. Haar short was drijfnat. Die kleine schoft had haar toch flink weten op te winden. Toen keek ze op haar Breitling Callistino, een cadeautje van haar Saoedische vriend.
Ze had nog precies drie uur om de moord op Sánchez Pastrana en de agent van de DEA te organiseren.

De zware Cadillac Escapade reed als laatste de ferry van Fisher Island af, streng bekeken door de veiligheidsmensen die ervoor moesten waken dat ongewilde gasten het eiland op zouden komen. De enorme, zwarte SUV met ramen die dezelfde kleur hadden als de carrosserie, reed hobbelend de helling van de

steiger op en draaide de MacArthur Causeway in, waar hij zich in het verkeer naar Miami Beach mengde. Vervolgens sloeg hij rechts af, in zuidelijke richting Alton Road op, naar het uiterste puntjes van South Beach, tot aan Biscayne Boulevard. Hij reed over brede lanen langs moderne gebouwen van veertig verdiepingen hoog die een weids uitzicht op de oceaan en Miami boden. Vervolgens reed hij het grote parkeerterrein van restaurant Wollenski op. De Escapade stopte voor de ingang en twee mannen stapten uit: zwarte zonnebrillen, snorren, kortgeknipt haar, zwarte hemden en zwarte kostuums. Snel inspecteerden ze de omgeving. Toen ging een van hen het restaurant binnen, om even later terug te komen. Met een knik van zijn hoofd gebaarde hij dat alles in orde was. Meteen stapte de chauffeur uit en opende het rechter achterportier van de Escapade.
Sánchez Pastrana liet zich traag naar buiten glijden, meteen geholpen door de chauffeur. Hij liep moeizaam en kromgebogen, gehinderd door zijn omvangrijke gedaante. De twee sicario's gingen hem voor. Met een door de inspanning vertekend gezicht liep de oude Colombiaan het terras over en liet zich op een 'directeursstoel' zakken, die er speciaal voor hem was neergezet. De tafel stond aan de rand van het pad langs de zeearm naar de haven van Miami, dat door wandelaars en enkele fietsers werd gebruikt. De zeearm bestond uit een soort kanaal van ongeveer 100 meter lang.
Een serveerster haastte zich naar hem toe, een fles Château-Latour 1982 in haar hand, en meteen schonk ze een glas in. De twee sicario's namen plaats aan de tafel ernaast en legden hun Skorpio pistool-mitrailleurs onder hun servetten op hun knieën. Ze aten niets en dronken alleen mineraalwater. Sánchez Pastrana nipte opgetogen aan zijn bordeaux. Met datgene wat hij de DEA te bieden had, moest het wel heel gek lopen wilden ze niet aan zijn wensen voldoen. Ze hoefden maar even met de procureur te gaan praten.
Hij zat nog geen minuut, of de special agent Jeb Pembroke kwam gehaast binnenlopen. Hij had dun rood haar, helderblauwe ogen, een kleine, rode snor en hij was gekleed in een blauwwit gestreept overhemd en een vormeloze broek. Hij verontschuldigde zich dat hij te laat was, nam een beetje wijn en ging

tegenover de Colombiaanse narco zitten, waarbij even een kleine revolver te zien was, die hij in een leren holster aan zijn riem droeg.
'Hoe gaat het met de gezondheid, Sánchez?' vroeg de Amerikaan vriendelijk.
Sánchez schudde zijn hoofd. 'Niet best. Ik verrek van de pijn in mijn rug. Ik krijg injecties, maar die helpen niet. Om nog maar te zwijgen van de rest. Gelukkig mag ik nog wijn drinken.'
'Die is fantastisch,' zei de Amerikaan.
De serveerster kwam met de menukaarten. De Colombiaan wees naar zijn gast. 'Steak?'
'New York, *rare*, gebakken aardappelen, Caesar's salad.'
'Maine-kreeft voor mij,' zei Pastrana.
Even later werden er twee enorme kommen sla neergezet. Het Wollenski begon vol te lopen, hoewel het het duurste restaurant van South Beach was.

Jeb Pembroke trok peinzend aan zijn snor. Wat Sánchez Pastrana hem had verteld, was zo enorm, dat hij nauwelijks een hap had gegeten. Maar de fles bordeaux was vrijwel leeg. 'Dat is een heel sluw plan,' verzuchtte hij. 'Ben je er zeker van?'
'Mettertijd krijg ik alle details nog te horen,' verzekerde de Colombiaan hem. 'En dan kan ik je precies vertellen waar de handel zal worden afgeleverd en wanneer. Vijf ton.'
'Niet hier?'
'Nee, in Europa.'
Inwendig betrok het humeur van Jeb Pembroke. De DEA zou er niet zoveel aan hebben, maar ze zouden er in elk geval wel een paar vrienden overzee aan overhouden. Hij keek de narco aan en zag een rood vlekje in zijn linkeroog. Een gesprongen adertje. De ander was er echt slecht aan toe, hoewel hij met smaak had gegeten. 'En wat wil jij hiervoor in ruil?' vroeg hij, en hij wist bij voorbaat al het antwoord.
'Rust,' zei de Colombiaan slechts. 'Ik wil niet terug naar de gevangenis. Zorg daarvoor.'
'Dat moet te regelen zijn, maar daarvoor moeten we bij het ministerie van Justitie in Washington zijn,' zei de agent van de

DEA. 'Maar wanneer de procureur een goed woordje voor je doet...'
Hij maakte zijn zin niet af en volgde gedachteloos met zijn ogen een ober in een wit jasje die met een blad vol met flessen tussen de tafels door liep. De ober zette het blad op een lege tafel achter hem en Jeb Pembroke lette al niet meer op hem. Maar vanuit zijn ooghoek zag hij de ober naar de tafel met de sicario's lopen, die hun aandacht op een enorm containerschip hadden gericht, dat op volle zee langs voer.
Een golf adrenaline spoot in Jeb Pembrokes aderen toen hij de ober een automatisch pistool met een geluiddemper onder zijn jasje vandaan zag halen. Hij drukte het uiteinde van de loop in de nek van een van de sicario's. Het geroezemoes in het restaurant overstemde het gedempte geluid van het shot. De valse ober draaide zich iets naar opzij en legde met zijn tweede schot de andere sicario neer. De twee Colombianen zakten op hun tafel in elkaar, waarbij ze een fles en glazen omver stootten. Door het lawaai keek Sánchez op, en hij begreep het meteen. '*Hijos de puta*!' zei hij, en hij probeerde op te staan. 'José!'
Instinctief had hij het hoofd van zijn lijfwachten geroepen, die ergens op het parkeerterrein op wacht stond.
Jeb Pembroke besefte dat Sánchez Pastrana onvoorzichtig moest zijn geweest en dat hij niet lang meer te leven had. Maar dat was zíjn probleem.
De oude narco stond al overeind, even krom als toen hij het restaurant binnen was gekomen, toen de agent van de DEA twee wandelaars op het pad aan zag komen: een was heel groot, met een brede mond en vastgeplakt haar, de ander was veel kleiner, en hij had een sluwe blik in zijn ogen. Twee latino's. De grote liep met gestrekte arm op Sánchez Pastrana af. In zijn hand had hij een klein pistool zonder geluiddemper. Kalm schoot hij hem drie kogels in zijn borst. De Colombiaan zakte terug op zijn directeursstoel en viel met stoel en al achterover. Kalm liep de moordenaar weg, terwijl nu de kleine latino op de tafel af kwam.
Toen pas besefte Jeb Pembroke dat hij ook een doelwit was. Dat was zo onvoorstelbaar, dat het niet bij hem was opgekomen.

Hij duwde zijn jasje open om zijn wapen te pakken. Onaangedaan schoot de kleine latino een kogel in zijn buik.
'*Son of a bitch*!' beet de agent van de DEA hem toe. 'Ik ben een agent van de DEA!'
Kalm schoot de moordenaar een tweede kogel in zijn hart, waarna hij rustig achter zijn partner aan liep.
De vierdubbele moord was binnen een minuut gepleegd. De andere gasten sprongen gillend op. José, het hoofd van de sicario's kwam het terras op rennen, aangetrokken door de schoten. In zijn hand had hij een 9 mm Glock. De twee moordenaars sloegen plotseling een andere richting in, alsof ze in het water wilden springen. Maar ze klommen over de betonblokken die langs de oever lagen en stapten in een dinghy die er op hen lag te wachten. Meteen schoten ze weg naar de overkant, vlak voor een groot vrachtschip langs.

DEA-AGENT DOODGESCHOTEN IN HET WOLLENSKI, stond er over de hele breedte op de voorpagina van de *Miami Herald*. Dolores Zapata las het artikel aandachtig door. De twee mannen waren op slag dood geweest, evenals de sicario's. De krant had het over een afrekening tussen kartels en opperde dat de agent per ongeluk was gedood. Of misschien omdat hij het vuur wilde openen. Er werd benadrukt dat Sánchez Pastrana een spijtoptant was die het federale kantoor waardevolle informatie verschafte. Dat verklaarde de aanwezigheid van Jeb Pembroke.
Ze vouwde tevreden de krant dicht. Fausto had zich waargemaakt. De weg was nu vrij om goud te verdienen. Niemand kon een deal met haar vriend, prins Ryad Al-Khobar-bin-Saoud, meer in de weg staan.

4

Het was er bitter koud. Om te beginnen vanwege een waanzinnig hoog staande airco, die een ware poollucht uitbraakte. De grote vergaderzaal van de Drug Enforcement Administration was door donkergekleurde ramen van de buitenwereld afgescheiden en keek uit op het vrachtgebied van het vliegveld van Miami en een deel van de landingsbanen.

Malko verstijfde bijna; hij kon maar niet wennen aan de ijskoude Amerikaanse airconditioning. Hij was enkele uren geleden uit Oostenrijk aangekomen en was op het vliegveld opgevangen door een grote, slanke vrouw in een broekpak. Ondanks haar metalen bril zag ze er toch verleidelijk uit. Teresa Wilhem, de vertegenwoordigster van de CIA in Florida. Malko had nog net de tijd om zijn Vuitton kledinghoes naar het Delano te brengen, het beste hotel van South Beach, voordat hij weer vertrok in een witte Buick, met Teresa Wilhem zelf achter het stuur. In de hal van het gebouw van de DEA was hij voorgesteld aan Foster Sheridan, hoofd van de antiterroristische eenheid van het kantoor. Hij was een uur eerder met een enorme tas met papieren uit Washington aangekomen.

Niemand had het nog over zijn reis naar Saoedi-Arabië. Nadat hij de Saoedische ambassade in Wenen had gebeld, had Malko een bericht van het kantoor van de CIA gekregen waarin hem werd gevraagd de reis te annuleren. Twee dagen later was hij naar Miami gestuurd. En in de auto had Teresa Wilhem hem uitgelegd wat hij hier kwam doen. Het ging om een cocaïnesmokkel waar een Saoedische prins bij was betrokken. De CIA vermoedde dat de operatie door Al-Qaeda werd gefinancierd. Maar de enige persoon die er meer over zou kunnen vertellen, kon elk moment door de DEA worden gearresteerd, terwijl de CIA wilde dat ze met rust zou worden gelaten. Voordat ze Malko op pad stuurden, moesten ze eerst dat dilemma zien te doorbreken. Kortom, de CIA en de DEA verschilden van mening over hoe ze deze zaak moesten benaderen. De afgezanten van de twee kantoren stonden op het punt elkaar naar de keel te vliegen. De

vergadering duurde al een uur en de partijen waren nog geen stap nader tot elkaar gekomen. Enigszins versuft door het tijdsverschil, hield Malko zich stil. Jason Worchel, ook uit Washington, waar hij een belangrijke post op het hoofdkantoor van de DEA bekleedde, ging in de aanval. Hij was een kleine, tengere man met een rode neus en piekerig haar. Als hij niet zo kwaadaardig had gekeken, had hij voor een clown kunnen doorgaan. Zijn piepende stem leek uit een horrorfilm uit de jaren dertig afkomstig te zijn.
'Heren,' zei hij, 'special agent Jeb Pembroke is elf dagen geleden op laffe wijze vermoord door onbekende moordenaars toen hij een ontmoeting had met een van zijn contactpersonen. Hij was een man die werd gerespecteerd vanwege zijn menselijke kwaliteiten en professionele manier van werken. We staan erop dat de daders zullen worden gearresteerd en veroordeeld. Want...'
'Jason,' onderbrak Foster Sheridan hem, 'je geeft zelf toe dat de daders "onbekend" zijn.'
'Klopt,' gromde de man van de DEA, 'maar we hebben een verdachte die ons misschien naar hen toe kan leiden: Dolores Zapata. Volgens de informatie die Sánchez Pastrana ons al had gegeven, is ze betrokken bij een zeer belangrijke cocaïnezending. Kevin Crane, die hier aanwezig is, heeft een rapport over die zaak opgesteld, gebaseerd op de verklaringen van Jeb Pembroke. Nietwaar, Kevin?'
Kevin Crane, een grote, kale man in een wit overhemd, lid van de DEA in Miami, knikte. 'Inderdaad, sir. Sánchez Pastrana heeft onze agent Jeb Pembroke gebeld om hem te vertellen dat Dolores Zapata van plan was met de hulp van een Saoedische prins meerdere tonnen cocaïne in Colombia te kopen. Drie dagen na dat gesprek is Sánchez Pastrana vermoord toen hij zat te eten met Jeb Pembroke. Die is ook vermoord. En nu blijven sommigen volhouden dat we die Colombiaanse weduwe van een grote producent van het Medellín-kartel niet moeten oppakken? Wanneer we haar zonder kans op borg opsluiten, denk ik dat ze doorslaat en ons op het spoor van die moordenaars zet.'
Teresa Wilhem, die nog nauwelijks iets had gezegd, legde haar potlood neer en zei zacht: 'Meneer, de enige die Dolores Zapata ergens van kan beschuldigen, is dood. U hebt alleen indirect

bewijs. Wanneer we haar oppakken, heeft elke advocaat haar binnen 24 uur vrij. Bovendien, hoe moest Dolores Zapata van dat gesprek afweten? Ik denk eerder dat het slachtoffer, Sánchez Pastrana, zijn mond voorbij heeft gepraat. Bovendien was hij een overloper. Hij had heel wat vijanden die wraak op hem zouden willen nemen.'

Kevin Crane antwoordde niet. Teresa wendde zich tot haar buurman, een grote, donkere, atletische man in een donker kostuum. 'Meneer Nelson, wat voor aanwijzingen hebt u bij de moord gevonden die op Dolores Zapata kunnen wijzen?'

Clemente Nelson was het hoofd van de Homicide Squad, die belast was met het onderzoek van alle moorden in Dade County. Hij was heel donker en hij was duidelijk een latino. 'Niet veel,' gaf hij toe. 'De vier moorden zijn door drie mannen gepleegd. Hun gezichten waren niet bedekt. Volgens sommige geruchten waren het leden van de bende Los Antrax, zeer gewelddadige Mexicanen die zich hebben gespecialiseerd in afrekeningen.'

Teresa vervolgde onbewogen: 'Heeft uw onderzoek aanwijzingen opgeleverd dat Dolores Zapata contacten onderhoudt met die bende?'

Het hoofd van de Homicide Squad dacht enkele seconden na. 'Daar heb ik niets over gevonden,' gaf hij ten slotte toe. 'Het enige materiële bewijs dat we hebben, zijn de patronen. De moordenaars zijn gevlucht in een boot die niet is teruggevonden.'

'Hadden ze medeplichtigen in het restaurant?'

'Misschien, maar dat is niet zeker. De eerste ondervragingen hebben niets opgeleverd. Sánchez Pastrana kwam er regelmatig. Misschien hebben ze hem geschaduwd.'

Jason Worchel kookte. Knarsetandend zei hij: 'Jullie hebben geen enkel spoor. Het enige waar jullie je op moeten richten, is die Colombiaanse, die al vaker met drugszaken in aanraking is geweest.'

'Maar ze is nooit veroordeeld,' merkte Teresa Wilhem op luchtige toon op. 'Ze is toch makelaar?'

Met een woedende blik keek de vertegenwoordiger van de DEA de tafel rond. 'Dus in plaats van de enige verdachte in deze zaak aan te pakken, laten we de moord op special agent Jeb Pembroke ongestraft?'

Er viel een stilte. Met zijn ogen volgde Malko door de donkere ramen een Boeing 747 die zich in de verte traag over de taxibaan bewoog. De ruimte was zo geluiddicht, dat de van het vliegveld opstijgende vliegtuigen zelfs niet te horen waren.
Foster Sheridan, met een keurige scheiding in zijn grijze haar, de enige die een colbert en een stropdas droeg, zei met een ernstige stem: 'Meneer Worchel, ik wil net zo graag als u dat die moordenaars worden gestraft. Maar behalve die vreselijke misdaad, moet ik een groter belang in het oog houden, dat van de nationale veiligheid. Zoals u weet, voer ik de leiding over het Counter-Terrorism Center van de CIA. Onze rol is te waarschuwen tegen nieuwe aanslagen zoals die op 11 september.'
'Wat heeft dat hiermee te maken?' beet Jason Worchel hem toe.
'Een van onze agenten is door een beroepsmoordenaar gedood en er zijn vermoedelijk banden met de Colombiaanse maffia.'
Het hoofd van het CTC liet zich niet uit het veld slaan en vervolgde met dezelfde kalme stem: 'Als ik de dossiers over deze moorden goed heb gelezen, heeft Pastrana met agent Jeb Pembroke gesproken over een belangrijke cocaïnesmokkel waarbij een Saoedische prins zou zijn betrokken.'
'Inderdaad,' beaamde Jason Worchel. 'Maar misschien is het hele verhaal verzonnen.'
Foster Sheridan glimlachte kil. 'U bent er kennelijk zeker van dat die moorden iets te maken hebben met het uitlekken van een vermoedelijk grote drugshandel door een Saoedische prins. Als daar niets waar van is, kan Dolores Zapata niets met die moorden te maken hebben.'
Hier had de vertegenwoordiger van de DEA geen antwoord op en hij reageerde niet meteen. Foster Sheridan greep zijn kans en vervolgde: 'Meneer Worchel,' zei hij, 'persoonlijk neig ik ertoe te geloven dat dat verhaal waar is. Want het lijkt me heel logisch dat er in koelen bloede vier mannen zijn vermoord om te voorkomen dat Sánchez Pastrana zijn informatie zou afgeven. Daarom vind ik dit een serieuze zaak, waar een Saoedisch burger bij betrokken is. U weet dat er onder de islamitische terroristen veel Saoedies zijn.'
'Wat bedoelt u daarmee?' vroeg Jason Worchel.
'Het volgende,' antwoordde Foster Sheridan. 'Als er ook maar

de kleinste kans is dat die zaak waar is, dan zit er veel meer achter dan zomaar een cocaïnesmokkel. Wat als de verkoop bedoeld is om een terroristisch netwerk te financieren? We moeten alles op alles zetten om die mogelijkheid te onderzoeken en eventueel de smokkel verhinderen. Ik neem aan dat u het daarmee eens bent?'
De man van de DEA kon moeilijk 'nee' zeggen, als hij niet op een vliegtuig naar Guantánamo gezet wilde worden. Met tegenzin gaf hij toe: 'Wat moet er volgens u gebeuren?'
'Laat Dolores Zapata haar gang gaan,' zei Foster Sheridan. 'Intussen kunnen we ons een mening vormen. Ze is het enige spoor dat we hebben.'
'En wat wilt u daarmee doen?' vroeg Jason Worchel.
Foster Sheridan wendde zich tot Malko, die rechts van hem zat. 'De directeur van het kantoor heeft besloten deze zaak toe te vertrouwen aan een van onze beste agenten te velde, die hier bij ons aanwezig is: Malko Linge. Hij zal proberen contact te leggen met die Colombiaanse vrouw, met de bedoeling het Saoedische netwerk bloot te leggen, als dat bestaat. Intussen kan de Homicide Squad zijn onderzoek voortzetten. We moeten weten of het lek dat deze viervoudige moord tot gevolg heeft gehad bij Sánchez Pastrana moet worden gezocht, of ergens anders.'
'Waar dan?' flapte Jason Worchel eruit.
Op vleierige toon vervolgde Foster Sheridan kalm: 'Bij úw kantoor. Iemand kan zijn mond voorbij hebben gepraat.'
Er volgde een drukkende stilte. Jason Worchel moest zich duidelijk inhouden om niet op te springen, weg te lopen en de deur hard achter zich dicht te slaan. Hij slikte zijn woede in en sloeg met zijn vlakke hand op tafel. 'Goed, voorlopig zal ik me erbij neer moeten leggen. Maar wanneer u niet binnen twee weken meer te weten bent gekomen, ga ik naar de procureur en laat ik Dolores Zapata arresteren.'
Hij stond op, duwde zijn stoel naar achteren en vertrok in een ijzige stilte. Foster verbrak de stilte door kalm te zeggen: 'Nog meer vragen?'
Clemente Nelson, hoofd van de Homicide Squad, stak zijn hand op. 'Wat voor onderzoek gaat meneer Linge uitvoeren? Heeft hij onze hulp nodig?'

De vertegenwoordiger uit Langley glimlachte beleefd. 'Als dat zo is, zal hij het u laten weten. Maar we staan erop dat het onderzoek absoluut vertrouwelijk blijft. Niets hiervan mag deze kamer uit komen. Wanneer we op informatie over de dood van agent Jeb Pembroke stuiten, zullen we dat natuurlijk direct doorgeven.'
Hij stond op, waarmee hij het einde van de vergadering aangaf. Het gezicht van Kevin Crane, de vertegenwoordiger van de lokale DEA, betrok. Hij groette nauwelijks toen hij vertrok. Clemente Nelson kwam naar Malko toe en gaf hem zijn kaartje. 'Hier staan al mijn nummers op, ook van mijn mobiel. Die staat altijd aan.'
'Zeer erkentelijk.' Malko bedankte hem glimlachend. 'Is er nog iets onbesproken gebleven? Iets waar ik misschien wat aan heb?'
Het hoofd van de Homicide Squad reageerde verlegen. Toen zei hij: 'Ik mag het eigenlijk niet zeggen, maar Sánchez Pastrana was en bleef een verdachte, al werkte hij met ons mee. Misschien heeft hij met andere agenten van de DEA gepraat. Ik kon dat niet openlijk zeggen, maar er zijn in het verleden vergelijkbare dingen gebeurd.'
'Anders gezegd,' concludeerde Malko, 'het lek kan ook binnenin de DEA hebben gezeten.'
Clemente glimlachte. 'Als u zegt dat u dat van mij hebt gehoord, zal ik het ontkennen. Maar het is niet onmogelijk.'
'Dank u. En wat weet u over die Dolores Zapata?'
'Ze is een heel mooie vrouw,' zei de agent. 'Ze is nooit bij een drugszaak betrokken geweest, maar haar man was een van de grote handelaren in Medellín. Hij is acht jaar geleden vermoord. Ze moet daar nog een heleboel contacten hebben. Ze woont in een huis in Coral Gables, dat ze nog aan het afbetalen is. Ze heeft een zoon op de universiteit en heeft een klein makelaarskantoor. Ik zal u haar gegevens laten doorgeven.'
'Is ze ondervraagd?'
'Nee.'
'Hebt u trouwens ene Eddie García bij de Homicide Squad gekend? Hij had als bijnaam "Ricochet Rabbit".'
Clemente reageerde als door de bliksem getroffen en zijn

gezicht klaarde meteen op. 'Kent u Ricochet Rabbit?'
'We hebben samen in 1982 aan de zaak Miguel Cuevas gewerkt.'
'O, mijn hemel. Dan bent u lid van de familie.'
'Werkt hij nog bij de politie?'
'Nee, hij is ongeveer zes jaar geleden met pensioen gegaan. Maar hij doet op het moment klusjes voor een advocaat, als onderzoeker. Wilt u zijn adres?'
'Natuurlijk.'
De agent pakte zijn palmtop en tikte de naam van zijn vroegere collega in. 'Hier. Hij werkt voor een zekere Douglas Sommer, Brickell Avenue 444, suite 402. Telefoon 305 765 98 61. Zij kunnen u zeggen waar u hem kunt bereiken.'
'Dank u wel,' zei Malko. 'U hebt niet zijn privénummer?'
'Nee, hij is verhuisd. Hij is hertrouwd met een Venezolaans meisje dat twintig jaar jonger is dan hij...'
'Goed,' besloot Malko. 'Ik zal eens bellen. Tot ziens.'
De handdruk van Clemente Nelson was nu aanzienlijke hartelijker. 'Komt u langs wanneer u wilt,' zei hij. 'Het Dade County Police Department, op de hoek van Second Avenue South-West en 13th Street.'
Malko had een vriend gemaakt. De agent vertrok en Malko voegde zich bij Teresa Wilhem en Foster Sheridan. Die reageerden blij en opgelucht. 'Ze hebben een goede keus met u gemaakt,' zei hij. 'Ik ga dadelijk terug naar Washington, maar Teresa blijft tot uw beschikking. Laten we nog wat gaan drinken in de bar van het Marriott. Ik heb nog bijna twee uur.'

Zoals altijd in de Verenigde Staten was het bijna pikdonker in de bar van het Marriott. Het hotel lag op een steenworp afstand van het luchthavengebouw. Malko nipte aan zijn ijskoude wodka en zei: 'Ik neem aan dat deze zaak de reden was waarom het kantoor me naar Saoedi-Arabië wilde sturen?'
'Inderdaad. Dat kwam door Teresa, die optrekt met Kevin Crane. Ik geloof dat hij een oogje op haar heeft.'
'Alstublieft, meneer Sheridan,' protesteerde Teresa Wilhem.
'Goed, goed, ik trek mijn woorden terug,' zei Foster Sheridan. 'Maar ze hebben samen iets gedronken en hij vertelde over de

kwestie-Pastrana. Dat gaf Teresa aan mij door en toen zijn we meteen in actie gekomen. De afdeling Operaties wilde u onmiddellijk naar Saoedi-Arabië sturen, maar later beseften ze dat dat onzin was. Bovendien vertelde Teresa ons ook over Dolores Zapata.'

Teresa, die achter een dubbele Defender met ijs zat, glimlachte bescheiden. Ze had haar benen over elkaar geslagen en met een rechte rug keek ze onbewogen voor zich uit.

'U gelooft dus echt in dat verhaal met die Saoedische prins?' drong Malko aan.

'Ja,' antwoordde Sheridan zonder te aarzelen. 'Maar we weten niet wie het is. En op kantoor hebben ze niets over Dolores Zapata. Er zijn honderden Saoedische prinsen. Dat meisje is de enige die ons verder kan helpen.'

Hij haalde een envelop uit zijn tas en legde die op tafel. 'Dit is alles wat Teresa over haar te weten is kunnen komen. Foto's, adressen, haar leven. Ze is drie keer getrouwd geweest en houdt duidelijk van mannen.' Hij glimlachte fijntjes. 'Misschien hebben ze daarom juist u laten komen. U maakt bij haar meer kans dan die stijve harken van het kantoor.'

'Dank u,' zei Malko. 'Maar ze zal achterdochtig zijn.'

'Natuurlijk,' gaf Sheridan toe. 'Maar Teresa heeft ook een ideetje hoe u met haar in contact kunt komen.'

De vertegenwoordigster van de CIA in Miami nam een slok van haar Defender en legde uit: 'Ik heb goede contacten met een contactpersoon van de Mossad, Samuel Benchetrit. Zo nu en dan helpen we hem. Hij is een Amerikaanse Israëliër. Hij heeft meerdere bedrijven, waaronder een makelaarskantoor op Lincoln Avenue in Miami Beach. Vanavond dineren we met hem.'

Foster Sheridan keek op zijn horloge en leegde in één keer een glas daiquiri van minstens een halve liter. In het vliegtuig zou hij gaan slapen. 'Goed, ik moet nu gaan. Hier, dan kunnen we contact met elkaar onderhouden.' Hij gaf Malko een telefoon en legde uit: 'Hij is versleuteld en het nummer is niet te herleiden. U kunt hem ook als een gewone telefoon gebruiken. Wanneer u mij op het nummer belt dat op de achterkant is gegraveerd, kunt u zonder enig risico vrijuit praten. Succes.'

Teresa pakte de rekening voordat Malko de kans kreeg, dronk

haar glas leeg en stond op. 'Ik breng u naar het Delano. Ik kom u om zeven uur ophalen.'

Fausto Caligaro schrok op toen hij een onbekende mannenstem hoorde roepen. Zijn hartslag schoot naar de 200. Toen hij omkeek, daalde die weer. Het was slechts de nieuwe gerant. 'Ga bij de tafels op het terras kijken,' zei hij tegen de jonge Colombiaan.
Die gehoorzaamde snel. Al twee weken lang was hij op van de zenuwen. Tijdens de moord was hij in het restaurant geweest, maar net als iedereen was hij het terras op gerend. Als zijn benen hem hadden kunnen dragen, zou hij meteen weg zijn gevlucht. Die nacht had hij natuurlijk geen oog dichtgedaan en verwachtte hij elk moment de politie binnen te zien stormen. Hij was weliswaar door de politie ondervraagd, maar ze hadden duidelijk geen belangstelling voor hem. Toen waren de dagen verstreken en was zijn angst minder geworden. Hij kon nu nog maar aan één ding denken: Dolores terugzien en haar neuken. Hij nam het haar zelfs niet kwalijk dat ze hem had betrokken bij een viervoudige moord. Geen tel was het bij hem opgekomen haar aan te geven. Hij wachtte tot ze hem zou bellen, maar dat gebeurde niet. Het bleef stil. Hij durfde zelf niet de eerste stap te zetten.

Samuel Benchetrit had een hoofd als een biljartbal en een grote, slanke Colombiaanse vrouw die geen woord zei. Na de dimsum namen Teresa en Malko pekingeend, gevolgd door garnalensalade en het vlees van de eend. Het Chinese restaurant was bijna leeg en bood een droevige aanblik. De Israëliër hield geen moment zijn mond dicht en bleef over het Midden-Oostenconflict doorgaan. Natuurlijk koesterde hij een enorme bewondering voor George W. Bush.
Bij het derde kopje thee zei Teresa met een neutrale stem: 'Sam, ik wil je om een gunst vragen.'
Samuel Benchetrit reageerde niet meteen, maar hij zei enkele woorden in het Hebreeuws tegen zijn vrouw, die opstond en wegliep. 'Waar gaat het om?' vroeg de Israëliër toen.
'Onze vriend Malko Linge heeft een "achtergrond" nodig,' zei

Teresa Wilhem. 'Hij is hier om een opdracht voor ons uit te voeren en moet contact leggen met een meisje dat een makelaarskantoor in Coral Gables heeft: Dolores Zapata. Ken je haar?'
'Een beetje,' antwoordde Benchetrit. 'We zijn elkaar wel eens tegengekomen. Ze werkt vooral in haar eigen wijk, maar ik moet haar kaartje nog ergens hebben liggen.'
Hij vroeg niet waarom Malko in contact met de Colombiaanse wilde komen. Maar zijn eigen centrale zou binnen enkele uren volledig op de hoogte zijn van zijn doen en laten.
'Goed,' zei Teresa, 'kun jij haar eens bellen om te zeggen dat je een klant hebt die een huis in Coral Gables zoekt en dat je hem naar haar toe stuurt? Geef haar het adres van onze vriend in het Delano en dan is het wat jou betreft klaar.'
De Israëliër barstte in lachen uit. 'Ja! Ik vraag haar wel de helft van haar court... Goed, ik doe het morgenochtend meteen.'
'Het zou beter zijn wanneer zíj hem belt,' benadrukte Teresa Wilhem.
'Geen probleem.'
Hij liep met hen mee naar buiten, waarna Teresa Malko naar het Delano bracht, dat drie straten verderop lag. Het was druk in South Beach, er was een hip-hopfestival op Atlantic Avenue. Het kostte hen bijna een halfuur om bij het hotel te komen. Op elke hoek stond politie. Malko had geen slaap meer. Toen ze het Delano naderden, stelde hij de jonge vrouw voor: 'Komt u nog mee om iets te drinken?'
Ze sloeg het aanbod glimlachend af. 'Nee, het is laat. Een andere keer.'
Toen ze voor het hotel was gestopt, opende ze het handschoenenkastje en haalde er een leren etui uit, dat ze aan Malko gaf. 'Voor u.'
Hij nam het aan. Het was erg zwaar. Hij riste het etui open en zag er een automatisch pistool in liggen. Een grote Glock met twee extra patroonmagazijnen. Vervolgens gaf Teresa hem haar kaartje. 'Wanneer er een probleem is, belt u me. Ik ken alle politieagenten hier.'

5

Carlos Barco zat op het terras van zijn penthouse gedachteloos met zijn ontbijt te spelen, toen een van zijn drie telefoons ging.
'We vertrekken over een week,' zei de stem van Dolores Zapata opgewonden. 'Hij komt over vijf dagen naar Caracas, blijft er twee dagen en vertrekt daarna naar Europa. Met de waar.'
Carlos voelde een groot gewicht van zijn borst verdwijnen. De dagen na de uitschakeling van Sánchez Pastrana had hij trillend van angst doorgebracht, maar de verwachtingen van zijn partner waren uitgekomen. Noch de Homicide Squad, noch de DEA had zich voor hen geïnteresseerd, zodat hij er weer vertrouwen in had gekregen. De Colombiaanse onderhield contact met hem via twee mobiele telefoons die door loopjongens waren gekocht en ze gebruikten anonieme chips. Langs deze weg waren ze niet te vinden. De twee officiële eigenaars van de telefoons bevonden zich duizenden kilometers hiervandaan in het Colombiaanse oerwoud.
'Waar vindt de levering plaats?' vroeg Carlos.
Dolores had hem nog geen details gegeven. 'In Marbella,' zei ze. 'Een vriend heeft daar een huis gehuurd. Je kunt er komen logeren. Maar als je gaat, kun je beter via Mexico reizen. Ik neem een vlucht van Iberia hier vandaan.'
Ze hadden elkaar sinds de viervoudige moord niet meer gezien. De moordenaars van Los Antrax waren vertrokken en Carlos Barco begon ervan overtuigd te raken dat het inderdaad zou lukken. 'Goed,' zei hij ten slotte, 'ik haal wel een ticket bij mijn reisbureau. En hoe vindt de levering in Spanje plaats?'
'De kopers zullen daar zijn en binnen achtenveertig uur is alles rond. We worden meteen betaald. Gedeeltelijk cash, gedeeltelijk via de bank.'
Dolores praatte op luchtige toon, maar ze had ook een paar slechte nachten achter de rug. Op een ochtend was er heel vroeg aan het hek van de villa gebeld en had ze zich in paniek in een kast verborgen. Maar het was slechts een loodgieter geweest. Nu de operatie van start was gegaan, zou het een ramp zijn wan-

neer ze zou worden opgepakt, ook al was het maar voor een week. Toch zei ze soms bij zichzelf dat het vreemd was dat de DEA niet bij haar langs was geweest. Daaruit kon ze alleen concluderen dat het verhaal van een Saoedische prins die met Colombiaanse narco's samenwerkte door niemand werd geloofd. Gelukkig had Sánchez Pastrana geen tijd gehad meer details door te geven om zijn verhaal geloofwaardiger te maken. Op haar telefoontoestel begon een rood lichtje te knipperen. 'Ik verbreek de verbinding. Ik word door iemand anders gebeld.'
Ze nam op en een onbekende mannenstem vroeg haar te spreken. 'Ja, ik ben Dolores Zapata,' antwoordde ze, en plotseling voelde zich weer ongerust. 'Met wie spreek ik?'
De adrenaline spoot door haar aderen. Ze hield nu niet van onverwachte telefoontjes.
'Ik heet Samuel Benchetrit,' zei de ander. 'Ik ben de eigenaar van makelaardij South Beach Estate, aan de Lincoln, in Miami Beach. Ik geloof dat we elkaar een paar keer hebben ontmoet. Maar ik bel u omdat Europese vrienden van me een kennis naar me toe hebben gestuurd. Hij heeft nu een suite in het Delano en wil een huis kopen in Coral Gables. Maar zelf heb ik niets voor hem. Daarom dacht ik aan u.'
'Dat is vriendelijk van u,' antwoordde Dolores gerustgesteld. Ze kon zich de makelaar vaag herinneren. 'Goed, en als het wat wordt, delen we de courtage,' zei ze op zoete toon.
'Uitstekend,' zei Samuel Benchetrit. 'Ik zal u zijn naam en kamernummer in het Delano geven. Hij schijnt van adel te zijn. Met geld als water.'
'Is hij Frans?' vroeg Dolores.
Daarvan waren er in Miami 20.000. Dit was de enige Amerikaanse stad waarin de autochtonen in de minderheid waren. De grootste bevolkingsgroep, 45 procent van de totale bevolking, was Spaanstalig.
'Nee, een Oostenrijker, geloof ik,' antwoordde de ander. 'Belt u hem, anders gaat hij misschien naar een ander.'
'Nu meteen,' beloofde Dolores. 'Ik hou u op de hoogte.'
Blij hing ze op. Geluk komt nooit alleen! Als ze ook nog een huis zou kunnen verkopen, zou dat helemaal mooi zijn.

Het was al laat en ze had geen tijd om meteen te bellen. Ze had een afspraak voor de verkoop van een flat. Ze liep naar haar parkeerplaats en stapte achter het stuur van haar SLK. Toen besefte ze plotseling dat ze niets meer had gehoord van haar bron bij de DEA, Vincent Shedd. Na wat er was gebeurd, had ze dat wel verwacht. Door haar was de agent medeplichtig aan een viervoudige moord. Als hij zou worden betrapt, betekende dat het einde van zijn carrière. Dolores had uit voorzorg alle nummers uit het geheugen van haar telefoon gewist, ook die van hem. Voor het geval dát. Maar ze zou Vincent Shedd nu graag eens willen spreken. Want hij wist precies hoe de DEA op de moorden reageerde. Ze stelde zichzelf gerust door te zeggen dat ze gewoon een paar dagen rust moest nemen. Zelfs als ze zou worden gearresteerd en ondervraagd, zou haar advocaat haar binnen een week vrij kunnen krijgen.

'Ja, meneer Eddie García is op kantoor. Hoe is uw naam?'
'Malko Linge.'
'Om welke zaak gaat het?'
'Miguel Cuevas.'
Dat was een 'cocaïne-cowboy' die in 1982 door Malko met behulp van de Homicide Squad was gedood.
'Een ogenblikje, alstublieft.'
'Malko! Ben je in Miami?'
'Ja, sinds gisteren.'
'Hoe heb je me gevonden?'
'Ik heb gisteren Clemente Nelson ontmoet. Hij vertelde dat je naar de andere kant was overgestapt en nu voor een advocaat werkt die vooral narco's als klant heeft.'
'O, hij is gewoon een strafpleiter,' antwoordde Eddie García. 'Al zijn zijn klanten inderdaad in het algemeen geen lieverdjes. Maar daar bemoei ik me niet mee. Ik zoek naar bewijzen en getuigen en dergelijke. En jij, wat doe jij in Miami? Ben je op vakantie?'
'Als ik op vakantie zou zijn, zou ik Clemente Nelson niet hebben ontmoet. Als we ergens kunnen afspraken, zal ik het je uitleggen.'
Even bleef het stil, maar toen stelde de ex-politieagent van de

Homicide Squad voor: 'Ik zou gaan lunchen, maar dat is afgezegd. Maar ik heb niet veel tijd. We zouden vlak naast het kantoor in de Big Fish kunnen afspreken, ten noorden van Miami River, South West Miami Road 55. Om twaalf uur?'
'Goed, fijn je weer te zien.'
'Vind ik ook,' zei Ricochet Rabbit met een zucht. 'We hebben samen veel plezier gehad.'

Dolores reed kalm over Caballero Boulevard toen ze een oude, witte Mustang cabrio kruiste. Achter het stuur zat een donkere man met een zonnebril. Even dacht ze zijn gezicht te herkennen en ze minderde vaart om Herald Avenue in te draaien, die uitkwam op Hardee Road, waar ze woonde. Automatisch keek ze in de achteruitkijkspiegel en zag dat de remlichten van de Mustang oplichtten. De auto stopte. Toen herinnerde ze het zich plotseling. Door de zonnebril had ze hem niet meteen herkend: het was Fausto Caligaro, de ober uit het restaurant Wollenski. Een golf van woede en paniek overspoelde haar en ze begon over haar hele lichaam te trillen. Ze trapte de rem in.
Wat moest die idioot hier? Het was duidelijk dat hij bij haar huis vandaan kwam. Woedend keerde ze en ging hem achterna. Ze hoefde niet ver te rijden: hij was langs de kant van Caballero Boulevard gestopt en wachtte achter zijn stuur. Ze stopte achter hem en probeerde de woede uit haar lichaam te verjagen. Ze had niet verwacht dat hij zich weer bij haar zou durven vertonen. En wat als hij werd gevolgd? Misschien werd haar huis door de DEA in de gaten gehouden.
Ze liep naar hem toe en hij keek naar haar op nadat hij zijn zonnebril af had gezet. Meteen zag ze zijn verliefde blik en zijn dommige glimlach. En dan te bedenken dat ze die sukkel had bevredigd! 'Ben je bij mij thuis geweest?' vroeg ze meteen.
Fausto schudde zijn hoofd. 'Nee, ik ben alleen langsgereden en ik zag je auto niet staan.'
'Heb je gebeld?'
'Nee, ik wilde gewoon weten hoe het met je ging.' En met een verstikte stem voegde hij eraan toe: 'En ik wilde je weer zien...'
Dolores reageerde opgelucht. Hij kwam haar niet afpersen. Hij wilde met haar neuken. Het lukte haar met een zoete stem te

zeggen: 'Ik wil je ook graag weer zien, Faustino. Maar we moeten voorzichtig zijn. Je begrijpt wel waarom.'
'Natuurlijk,' beaamde de jongeman.
Hij verslond Dolores met zijn ogen. Ze droeg een dunne, strakke jurk.
'Luister,' zei ze, 'ik zal kijken of ik iets kan vinden waar we kunnen afspreken. Dat beloof ik je. Ik bel je gauw in het restaurant, onder de naam Carmen.'
'Goed, goed,' zei de jonge Colombiaan knikkend.
Snel boog Dolores zich naar voren en drukte haar mond op die van Fausto. 'Tot ziens,' zei ze met haar zoete stem, waarna ze heupwiegend wegliep.
Hij kwam al bijna klaar. Ze keek hem na toen hij vol gas wegreed, waarna ze zich in haar SLK liet zakken en als een zombie naar huis reed. Op Hardee Road was geen enkele verdachte auto te zien. De Colombiaanse liep snel door naar haar bar en maakte een sterke daiquiri klaar, waarna ze zich op een ligstoel aan het zwembad liet zakken. De alcohol bracht haar gedachten tot rust. Een halfuur later zocht ze ontspannen een nummer in haar agenda op.
Het kostte haar grote moeite om overeind te komen, haar auto te pakken en naar de US-1 te rijden. Ze stopte bij een telefooncel voor het Holiday Inn en toetste een nummer in. Een lage mannenstem nam meteen op: '*Dígame*?'
'Pepe, met Dolores. Uit Coral Gables.'
'Dolores, hoe gaat het ermee?'
'Goed, goed,' verzekerde ze hem. 'Ik heb een opdracht voor je. Ben je schoon?'
'Zeker,' zei hij.
Dat betekende dat hij op het moment geen problemen met de politie had. Pepe was een *marielito*, een van de Cubaanse criminelen die in 1978 door Fidel Castro op de Verenigde Staten waren losgelaten. De dictator had zijn gevangenisdeuren geopend en de bewoners naar Florida gestuurd. Voor de gelegenheid waren ze tot 'politieke delinquenten' gebombardeerd. Eerst had Pepe in Miami als huurmoordenaar gewerkt, in de gloriedagen van de strijd tussen de Colombianen en de Cubanen. Toen die strijd voorbij was, had hij werk gevonden in de

containerhaven van Miami. Hij was het die waakte over de cocaïnezendingen uit Colombia die via de haven het land binnenkwamen en hij zorgde ervoor dat ze niet in handen zouden vallen van rivaliserende benden of de politie. Dolores Zapata had al verscheidene keren zijn hulp ingeroepen.
'Goed,' zei ze, 'ik zie je om zes uur op de gebruikelijke plaats.'
Ze spraken altijd af in het Bay Front Park, in Miami. Dat was een park met enkele restaurants aan de rand van de haven van waaruit de schepen met toeristen vertrokken die de baai van Miami bezichtigden. Er waren altijd veel toeristen en weinig politie.
Dolores stapte weer in haar auto. Voor 5.000 dollar zou Pepe haar probleem met Fausto graag oplossen.

Eddie García stond op en kwam met gespreide armen naar Malko toe. Hij omhelsde hem innig. Toen hij eindelijk stopte met hem op zijn rug te slaan, kon Malko zien dat Ricochet Rabbit in twintig jaar tijd weinig was veranderd. Zijn vier enorme snijtanden, waar hij zijn bijnaam aan te danken had, staken nog steeds uit. Zijn zwarte haar was grijzer geworden en hij zag er bijna elegant uit in een lichtgekleurd kostuum en een gestreept overhemd.
Ze namen aan een tafel aan de rand van de Miami River plaats. Het Big Fish was een eettentje in de open lucht, enkele tientallen meters van de brug van Brickell Avenue. Malko zag dat hij een grote Breitling Navitimer en krokodillenleren schoenen droeg. Het ging goed met Eddie García. Die hief zijn daiquiri op en zei: 'Gezondheid, een fijn leven en veel vrouwen!'
Hij was niet veranderd. Malko hief eveneens zijn glas op. 'Op ons weerzien. En op Gail Hunter.'
Dat was een fantastische agente van de DEA geweest die wreed door Miguel Cuevas was vermoord. Een bedroefde schaduw vertroebelde de blik van Ricochet Rabbit. 'Jammer dat ze er niet bij is,' zei hij weemoedig. 'Ze zou je ook graag hebben teruggezien.'
Helaas, eenmaal begraven blijft begraven.
Ze bestelden zeebaars met nog een glas daiquiri.
'Is het waar dat je getrouwd bent?' vroeg Malko.

Eddie bloosde en stak zijn hand in zijn zak, alsof hij er een wapen uit wilde halen. Toen gaf hij Malko een foto van een donkere vrouw die op een barkruk zat. Ze droeg een minuscuul jasje met bijpassende rok, ze had stevige billen, een grote mond, donker haar en ogen als een ware, tropische slet. Driekwart van haar borsten puilden uit haar beha en de blik in haar ogen zou zelfs de hardnekkigste homoseksueel om krijgen.
'Ik ben gezwicht,' bekende Ricochet Rabbit slechts. 'Ik weet dat ze een slet is en me bedondert, maar jezus, elke avond ben ik de hemel dankbaar voor haar.'
Aan zijn gezicht te zien, scheurde hij elke avond met zijn tanden haar kleren van haar lijf. Een meisje van twintig was altijd een uitstekende manier om jong te blijven.
Zwijgend keken ze een sleepboot na die de rivier in de richting van de haven opvoer. Malko wachtte tot het eten op tafel stond en vroeg toen: 'Heb je over de moord op de agent van de DEA, Jeb Pembroke gehoord?'
Eddie verslikte zich bijna en zei grinnikend: 'Ik lach me dood.' Een van zijn lievelingsuitdrukkingen.
'Waarom?' vroeg Malko enigszins verrast.
'Om hun verdachten mee te laten werken, nemen die kerels van de DEA de grootste risico's. Ze sluiten vriendschap met criminelen, en dat is altijd gevaarlijk. Bij de Homicide Squad knalden we die narco's overhoop. Maar omdat ze bij de DEA niet in staat zijn om de smokkel tegen te houden, kopen ze de handelaren maar om. Alle penthouses in Miami Beach zijn in handen van "spijtoptanten". Kerels die tonnen coke het land binnen hebben gesmokkeld en nu in Florida in de zon liggen nadat ze hun vroegere kameraden hebben verraden. Sánchez Pastrana zal wel niet goed genoeg opruiming hebben gehouden. En die Jeb Pembroke had beter moeten uitkijken.'
'Ken je die Pastrana?'
'Hij was een ouwe rot in het vak. Een van de overlevenden van het kartel van Medellín. Maar waarom ben je in die zaak geïnteresseerd?'
'Sánchez Pastrana schijnt te zijn vermoord omdat hij de DEA opmerkzaam had gemaakt op een reusachtige drugsdeal die eraan zit te komen. Door die te verraden, hoopte hij te voorko-

men dat hij terug naar de gevangenis zou worden gestuurd om de rest van zijn straf uit te zitten. Maar het gaat mij om die deal.'
Eddie García liet zijn zeebaars koud worden terwijl Malko hem over de Saoedische prins en de mogelijke betrokkenheid van Dolores Zapata vertelde. Eddie keek hem met een dommige blik aan. 'Die zaak van jou kan leuk worden. Ik hoop niet dat ik in een belangenconflict verzeild raak.'
'Waarom?'
'Dolores Zapata is een klant van mijn baas, advocaat Douglas Sommer.'
Malko was stom van verbazing. Ze aten verder, zodat ze over de informatie konden nadenken. Toen Malko zijn vis op had, vervolgde hij: 'Ik heb je niet gezegd dat ik je om hulp wilde vragen.'
Eddie lachte breeduit. 'Nee, maar ik help je maar al te graag. Ik ben niet vergeten dat jij degene bent geweest die die schoft Miguel Cuevas om zeep heeft geholpen. Met het pistool van Gail Hunter zelf, nog wel. Dat schept verplichtingen.'
'Wat weet je over die Dolores Zapata?'
Eddie drukte zijn duim en wijsvinger tegen elkaar. 'Niets.'
'Waarom heeft Douglas Sommer haar als klant?'
'Problemen met haar green card. Ze is nog steeds Colombiaanse en de immigratiedienst deed moeilijk vanwege haar ex-man, een handelaar in Medellín, die door een concurrent is doodgeschoten. Het lukte Doug haar tot politiek vluchteling te bombarderen. Wat in jouw verhaal klopt, is dat Dolores Zapata iedereen in Colombiaanse kringen kent. Maar ze doet er niets mee. Ik weet dat het haar moeite kost om het honorarium van haar advocaat te betalen. Ik heb haar een keer gezien. Heel knap. Ik denk dat ze best bereid zou zijn geweest in natura te betalen. Helaas is ze niet bij mij langs geweest...'
Hij bleef onverbeterlijk.
'Ik moet contact met haar leggen,' zei Malko. 'Ze is ons enige spoor. En het zal niet eenvoudig zijn. Ik hoop dat ze me belt. Ze is door Samuel Benchetrit naar me toe gestuurd.'
Ricochet Rabbit grinnikte weer. 'Ik denk dat je je wel zult vermaken. Volgens mij trekt ze haar kleren even gemakkelijk uit als dat jij je zonnebril af zet.'

'Daar ben ik niet op uit,' verbeterde Malko hem bescheiden. 'En ze zal wel op haar hoede zijn.'
Eddie stak een sigaartje op en leek diep na te denken. 'Wat je me zo-even vertelde, wist ik niet. Dat verandert alles. Misschien is Jeb Pembroke met opzet vermoord. In elk geval is het duidelijk dat het sicario's waren. Die vind je nooit meer terug. Maar dat betekent wel dat er meer achter zit. Toch zie ik geen Arabische prins handeldrijven met narco's. Die vertrouwen elkaar niet. Maar ik zal zien wat ik over Dolores Zapata te weten kan komen. Ik heb nog wel een paar vrienden bij de Homicide Squad. Waar logeer je?'
'In het Delano, kamer 408.'
'Nog altijd even luxueus. Vroeger was het het Fontainebleau. Dat is nu helemaal vervallen. Heb je een telefoon?'
Malko gaf hem het nummer van het toestel dat Foster Sheridan hem had gegeven en vroeg om de rekening. Eddie García leek wel twintig jaar jonger te zijn geworden. Malko glimlachte. 'Vind je het niet vervelend dat je geen wapen meer hebt?'
De ex-politieagent giechelde, boog zich naar voren en trok de rechterpijp van zijn broek op. Eronder zat een klein holster aan zijn enkel. 'Kleine Rabbit heb ik altijd bij me,' zei hij. 'Ik heb een vergunning. Maar er wordt tegenwoordig lang zoveel niet meer geschoten. Goed, ik bel je.'

Malko ging zijn kamer binnen, vastbesloten het zwembad van het Delano eens te proberen, toen de telefoon ging.
'Meneer Linge?' vroeg een vrouwenstem met een Spaans accent.
'Ja.'
'U kent me niet. Ik heet Dolores Zapata en ik ben makelaar in Coral Gables. Een collega van me, meneer Benchetrit, heeft me uw telefoonnummer gegeven. U schijnt een huis te zoeken in Coral Gables.'

6

Malko bedankt in stilte Teresa Wilhem. Hij had geen zin meer om naar het zwembad te gaan. De val die de vrouw van de CIA in Miami had opgezet, werkte. 'Dat klopt,' beaamde hij. 'Ik zoek een huis in Coral Gables. Ik hou erg van de omgeving daar.'
'Een fantastische plek.' zei Dolores Zapata met een beroepsmatige vriendelijkheid. 'Hoeveel hebt u te besteden?'
'Tussen de drie en vier miljoen dollar.'
Hij voelde dat hij in aanzien steeg en snel deed hij er nog een schepje bovenop: 'Het probleem is, dat ik weinig tijd heb. Ik heb trouwens al contact opgenomen met South Miami Realty. Zij zullen me enkele huizen laten zien. Kunt u me vandaag nog iets laten zien?'
'Vandaag?'
'Ja, ik blijf maar een paar dagen in Miami. Ik moet snel voor zaken terug naar Oostenrijk.'
De naam van het andere makelaarskantoor had Malko gewoon uit het telefoonboek, maar het leek grote indruk op de Colombiaanse te maken.
'Goed,' zei ze. 'Ik zal een andere afspraak afzeggen. Kunt u naar mijn kantoor komen? 23rd Street South East 4376. U neemt de US-1 en daarna de Ponce de Leon. De 23rd staat daar haaks op. Vanuit Miami Beach is het een halfuur rijden.'
'Ik kom eraan,' beloofde Malko.

Carlos Barco zat naakt in de zon op het terras voor zijn penthouse de Da Vinci Code te lezen. Hij had een prachtig uitzicht op de skyline van Miami en soms kon hij van fantastische zonsondergangen genieten. 's Avonds was het er mooier dan in het oosten van Miami Beach, waar de oceaan slechts een donkere vlek was. Een van zijn drie telefoons ging over. Het was het versleutelde toestel, waar hij tienduizend dollar voor had betaald en dat uitsluitend werd gebruikt voor belangrijke en vertrouwelijke gesprekken. Zijn vertrouwensman in Colombia, Oscar Fuente, had er net zo een.

'*Dígame!*' zei hij.
'Met Oscar,' zei een stem ver weg. 'Ik wilde je zeggen dat de aardappelen zijn aangekomen.'
'Mooi, mooi,' antwoordde de narco opgelucht. 'Is alles goed gegaan?'
'Prima,' zei Oscar Fuente.
Hij was belast met het bij elkaar brengen van vijf ton cocaïne uit verschillende geheime opslagplaatsen in het oerwoud van Colombia. Het grootste deel was geleverd door de FARC, het Colombiaanse revolutionaire leger, en kwam van ver uit het zuiden. Vervolgens waren de partijen in Bogotá bij elkaar gebracht en op aardappeltrucks naar Venezuela gebracht. In Caracas was speciaal een pakhuis gehuurd om de waar op te slaan, totdat de geheimzinnige prins het zou komen ophalen.
'Goed,' vervolgde Carlos Barco. 'Wacht op instructies. Hier gaat alles goed.'
'Ik zit in het Intercontinental, kamer 1205,' zei Oscar Fuente. 'Tot ziens.'
Carlos stond op en rekte zich uit. Vanavond had hij in een discotheek in Miami een afspraak met een jonge meid die vers uit Honduras kwam. Hij zou er dubbel van genieten wanneer hij haar nam. Het leven was mooi.

Malko kon niet meer. In vier uur tijd had Dolores Zapata hem zes huizen laten zien die in het mooiste deel van Coral Gables lagen. Ze waren allemaal een beetje hetzelfde: gelijkvloers, geïsoleerd liggend in een groene omgeving, slechte houtconstructies, zwembad, eenvoudige meubels en met een prijs tussen de drie en vier miljoen dollar.
Ze waren net terug op de makelaardij, waar Malko zijn gehuurde Ford had achtergelaten. Het gezicht van de Colombiaanse was gespannen en terug in haar airconditioned kantoor vroeg ze met een stijve glimlach: 'En, wat vindt u ervan?'
'Het derde was niet slecht,' zei Malko. 'Een kleine haciënda. Het zag er wel leuk uit.'
'U hebt een goede smaak,' zei Dolores meteen. 'Ik zou die ook gekocht hebben. Bovendien wil de eigenaar het snel verkopen. We kunnen een bod doen.'

'Misschien moet ik eerst nog meer gaan bekijken,' zei Malko. 'Dat andere kantoor is er ook nog, South Miami Realty.'
Dolores Zapata's gezicht betrok. 'Ik weet niet of ze zulke mooie aanbiedingen hebben, maar dat kunt u het best zelf beoordelen.' Ze zag er moe uit en ze haalde een sigaret uit haar tas, die Malko meteen met zijn gegraveerde Zippo aanstak. Ze leek zijn galante gebaar te waarderen en hij zei bij zichzelf dat dit het moment was om in de aanval te gaan.
'Ik heb wel erg veel beslag op uw tijd gelegd,' zei hij. 'Laat me het goedmaken.'
Dolores protesteerde meteen: 'O, maar ik heb alleen mijn werk gedaan.'
'Natuurlijk,' gaf Malko toe, 'maar ik heb u onder druk gezet. Gaat u met me mee uit eten. Dan kunnen we in alle rust nog eens over de huizen praten. U zou me er een groot plezier mee doen. Het is niet leuk om in je eentje in het Delano te eten.'
Hij zag aan de donkere ogen van de Colombiaanse dat ze zijn aanbod zou aannemen. Na enkele seconden verzuchtte ze: 'Goed, ik ben ook wel toe aan wat ontspanning. Ik ontmoet graag buitenlanders. Maar ik wil niet naar het Delano, dat is te ver weg. Er is een uitstekend Italiaans restaurant in Coral Gables. Café Abracci, op Aragon Avenue.'
'Café Abracci dan,' stemde Malko in. 'Hoe laat?'
'Over een uur. Zullen we daar afspreken? Ik moet eerst nog even langs huis.'
'Geen probleem. Ik rij nog wat rond om een paar andere huizen te bekijken.'

Net op het moment dat Dolores haar huis binnenkwam, ging haar 'geheime' telefoon over. Ze herkende meteen de stem van Carlos Barco, die zei: 'De aardappels zijn in Caracas aangekomen.'
'Uitstekend!' riep de Colombiaanse met een diepe zucht uit.
'Zullen we samen gaan eten om het te vieren?'
'Ik kan niet,' zei ze. 'Ik heb net afgesproken om met een klant te gaan eten. Iemand die gauw een huis van vier miljoen wil kopen. Een stinkend rijke buitenlander. We hebben heel Coral Gables bekeken. Ik ben op. Ik kan beter naar bed gaan.'

'Jammer,' zei Carlos Barco. 'Heb je verder nog nieuws?'
'Niets.'
'En de politie?'
'Ook niets.'
Ze had geen zin om hem over Fausto Caligaro te vertellen. Die kwestie zou ze zelf oplossen. Vanwege de nieuw klant had ze haar afspraak moeten verzetten, maar dat vertraagde alles hooguit een dag.

Dolores Zapata voelde zich na twee grote daiquiri's en een fles chianti heel ontspannen. Al gauw praatte ze niet meer over huizen, maar over Colombia. Malko, die zich had voorgedaan als koffiehandelaar, kon haar zeggen dat hij haar land goed kende, waar ze opgetogen op reageerde. Na de prosciutto en de pasta met schelpdieren, had ze zich op de tiramisu gestort, gevolgd door twee espresso's. Malko kreeg de indruk dat ze hem als een man begon te zien, niet alleen als een klant... Ze vertrokken uit Café Abracci. Aragon Avenue was verlaten. In Coral Gables ging men vroeg naar bed.
'Laten we ergens nog iets gaan drinken,' stelde Malko voor. 'Ik herinner me een leuke club, de Mutiny Club.'
Dolores Zapata's gezicht betrok. 'Daar komt bijna niemand meer. Wanneer u iets wilt drinken, kan ik u bij mij thuis een daiquiri aanbieden.'
Tien minuten later parkeerden ze hun auto's onder de grote baniaanboom voor haar huis. Het zwembad en het huis waren verlicht, wat de tropische vegetatie goed deed uitkomen. Malko liep naar de bar die aan het zwembad lag. Het was er gelukkig donker, en hij zei lachend: 'Dit is het huis dat ik zou willen hebben.'
Dolores zette haar tas op een kruk en liep achter de bar. 'Ik heb het zelfs nog niet afbetaald,' zei ze. 'U zou me er een heleboel geld voor moeten geven.'
Nadat ze twee kant-en-klare daiquiri's in enorme glazen had ingeschonken en ze had aangevuld met ijs, kwam ze terug en ging op een kruk zitten, waarbij een lange, prachtig gevormde dij gedeeltelijk bloot viel. Intussen had ze een cd in een speler gestopt en er klonk Colombiaanse muziek vanachter de bar. Ze

tikte met haar glas tegen dat van Malko. 'Op uw toekomstige huis.'
Haar vermoeidheid leek te zijn verdwenen. Ze dronken hun glazen leeg terwijl ze over het leven in Miami praatten. Dolores Zapata zat kaarsrecht op haar kruk, zodat haar grote borsten naar voren priemden. In het halfduister zag ze er nog aantrekkelijker uit. Toen haar glas leeg was, stelde ze voor: 'Bijvullen?'
Malko wilde niet weigeren. Ze liep achter de bar en kwam terug met het frambozenmengsel. Met haar heupen op het ritme van de salsa wiegend, keek ze Malko aan. Die nam haar schaamteloos van top tot teen op. 'U bent uiterst sexy, en dat weet u. Bent u niet bang dat u wordt aangerand wanneer u onbekende mannen mee naar huis neemt?' zei hij.
Ze barstte in lachen uit. 'Aangerand? Nee.' In een flits had ze haar hand al in haar tas gestoken, die op de kruk naast haar lag. Ze haalde er een kleine, vernikkelde revolver uit, die ze op Malko richtte. Toch schoot de adrenaline door zijn aderen. Wanneer Dolores had geweten wie hij werkelijk was, zou ze de trekker hebben overgehaald. 'Die heb ik altijd bij me,' zei ze slechts, terwijl ze de revolver opborg. 'Ik ben in een gewelddadig land geboren en ik zou niet aarzelen om me te verdedigen. Begrijpt u?'
Met haar gezicht naar hem opgeheven keek ze hem glimlachend met een uitdagende blik aan. Meer was er niet nodig om Malko's libido op te wekken. Dat sluimerde altijd. De CIA en zijn missie vergetend, sloeg hij zijn arm om het middel van de Colombiaanse, zette haar op de kruk en boog zich naar voren. Hun monden streken licht langs elkaar. Toen drong hij iets meer aan en onderdanig opende Dolores haar volle lippen en haar tong kwam de zijne tegemoet in een lange, doordringende kus. Het was geen voorbedachten rade, maar zoals altijd wanneer Malko een aantrekkelijke vrouw in zijn armen had, werden oude reflexen snel gewekt. Dolores kuste heerlijk.
Op de tast zette ze haar glas op de bar en sloeg haar arm om Malko's nek. Die voelde zich aangemoedigd en streelde haar borsten. Meteen voelde hij haar tepels onder zijn vingers overeind komen. Hij masseerde haar en aan de reactie van de Colombiaanse voelde hij dat ze niet zo gauw meer naar haar kleine

revolver zou grijpen. In een wolk van frambozengeur gingen ze verder. Ze trok zich iets terug, maar ging toen opnieuw in de aanval, hem bijtend, reagerend op Malko's strelingen, die haar T-shirt omhoog had geschoven en met de door een kanten beha omspannen borsten speelde. Malko stond naast de barkruk en voelde het bloed pompend zijn geslachtsdeel in stromen. Zijn instincten namen de overhand. Hij liet Dolores' borsten los en legde zijn hand op haar dij, waarna hij naar binnen gleed door de split van de rok. Toen zijn vingertoppen langs een nylon slipje streken, schrok Dolores zo fel op, dat ze bijna van de kruk viel. Malko stopte, hij wilde het niet forceren. Maar ze liet zich iets van de kruk glijden en drukte daarmee haar vagina letterlijk op Malko's hand. Hij hoefde het elastiek maar opzij te trekken om de honing te voelen stromen.
Dolores was er volkomen klaar voor.
Met zijn hand om haar vagina geklemd, kuste ze hem nog harder. Malko legde Dolores voorzichtig over de drie barkrukken heen, waarbij haar tas op de grond viel, en liet tegelijk haar slipje langs haar dijen omlaag glijden. Meteen drong hij met twee vingers in haar onbeschermde vagina.
Dolores reageerde meteen. Met haar rechterhand pakte ze Malko's penis door de stof van zijn broek heen beet. Ze leerden elkaar nu pas goed kennen. Malko maakte zich los van haar mond om zich op haar borsten en buik te concentreren. Al gauw had hij door wat ze lekker vond en Dolores stopte niet meer met kreunen. Hij trok haar T-shirt omhoog, maakte haar beha los en speelde met de tepels van haar borsten, die nog heel stevig waren. Ze lag onder Malko's vingers te sidderen op de barkrukken, alsof ze op een gloeiend hete plaat lag. Hij begon haar steeds sneller te strelen. Hij voelde dat de Colombiaanse zijn ritssluiting opentrok, zijn penis pakte en hem wild begon te bevredigen. Toen maakte ze zijn broekriem los en bevrijdde hem geheel. Malko ging iets anders staan en schoof tussen de benen van Dolores, die ze dubbelgevouwen op de kruk had gelegd. Hij moest op zijn tenen gaan staan, maar voorzichtig streelde hij haar en drong toen met één stoot in haar.
Dolores kreunde en tilde haar benen in de lucht. Malko stond er niet op zijn gemakkelijkst bij, maar het ging. Hij pakte haar

benen, trok ze recht omhoog en nam haar uit alle macht.
Het duurde niet lang tot hij diep in haar buik klaarkwam, wat de vrouw een woeste kreet ontlokte. Als verlamd zakte ze onderuit en bleef op de krukken liggen.
Uiteindelijk opende ze haar ogen, keek Malko glimlachend aan en bekende met een aarzelende stem: 'Ik ben al heel lang niet zo lekker klaargekomen. Alleen een Europeaan kan aan zulke dingen denken. Een Amerikaan zou dat nooit hebben gedurfd.'
Malko trok zich uit haar terug en wankelend liep ze naar een bank, waar ze languit op ging liggen. Tevreden maakte Malko zijn kleren op orde. Deze eerste ontmoeting was op een onverwachte manier verlopen. Maar het feit dat Dolores Zapata zich door hem had laten nemen, betekende nog niet dat ze tegenover hem haar doopceel zou lichten. Vanaf de bank riep ze: 'Ik denk dat ik hier maar blijf slapen. Doe de deur achter je dicht. Tot ziens. Bel me morgen op kantoor.'
Hij boog zich over haar heen en kuste haar zacht. Ze beantwoordde zijn kus en mompelde: 'Het was heerlijk.'

Malko werd 's ochtends om zeven uur uit zijn slaap gerukt door het ratelende verslag van Ricochet Rabbit.
'Ik bel je zo vroeg omdat ik het vliegtuig naar Jacksonville neem,' zei de Amerikaan. 'Ik kom vanavond terug. Laat. Ik heb zeer interessante dingen ontdekt.'
'Wat?'
'Dat vertel ik vanavond. Maar ik denk dat zij inderdaad achter de moorden bij Wollenski zit. Goed, ik moet nu instappen.'
'Ik kom je halen. Bel me om te zeggen hoe laat je aankomt,' zei Malko.

7

Dolores Zapata zette haar SLK op het parkeerterrein van Bay Front Park en liep een van de paden op die door het winkelcentrum liepen. Ze had hoofdpijn en ze verborg de wallen onder haar ogen achter een zonnebril. Toch had ze een heerlijke avond gehad. Omdat ze alleen woonde, bedreef ze slechts nu en dan de liefde en dat was niet genoeg om aan haar verlangens te voldoen. Ze had tot vier uur als een blok op de bank geslapen waar haar 'klant' haar had achtergelaten, tot de kou van de nacht haar had gewekt. Ze vroeg zich nu af of ze hem moest bellen over de villa die hem beviel, of dat ze zou wachten tot hij haar belde. Dat was pure tactiek. Ook als hij niets zou kopen, verlangde ze ernaar hem nog eens diep in haar buik te voelen en hem te bevredigen op een manier die hij nooit zou vergeten.
Ze kwam uit op de kade. Een muzikant die door de gemeente Miami werd betaald, stond in de brandende zon te blèren, zichzelf begeleidend op een gitaar. Dolores zag Pepe op een terras van een barretje zitten, pal tegenover een boot die op klanten lag te wachten. De Cubaan had een glas cola voor zich staan en een bord met enkele met ketchup overgoten taco's. Ze werd er onpasselijk van.
'Wil je iets eten?' vroeg hij.
'Nee, dank je,' zei de Colombiaanse, en ze bestelde ijsthee, die de kleur van urine had.
Om hen heen zaten enkele dikke Cubanen die in het winkelcentrum werkten zich vol te stoppen met zwarte bonen en geroosterd varkensvlees. Pepe keek haar nieuwsgierig aan. 'Ben je weer in zaken gegaan?'
Bij elke levering ontving hij enkele duizenden dollars voor de bewaking. Dat vulde zijn spaarzame salaris mooi aan.
'Nee,' antwoordde Dolores, 'ik heb je ergens anders voor nodig. Iets gemakkelijks, vijfduizend dollar.'
Die twee woorden drongen rechtstreeks door tot Pepes hart. Hij luisterde zwijgend naar de instructies van de Colombiaanse.
'In het verlengde van 5th Street South East ligt langs Miami

River een parkeerterrein,' legde ze uit. 'Tegenover een discotheek, die nu dicht is. Het is er heel stil. Je kunt wegrijden over de 5th, of de South Miami Avenue, naar het noorden. Dit is het nummer van de auto. Schrijf het op. Het is een oude, witte Mustang.'
Hij schreef het nummer op: 6 FDG 654. 'Hoe laat?' vroeg hij.
'Dat geef ik later vandaag nog door.'
'Is hij gewapend?'
Dolores schudde haar kastanjebruine haar. 'Nooit. Het is een jonge jongen en hij koestert geen enkele achterdocht.'
'Goed. En het geld?'
Ze haalde een dikke envelop uit haar tas. 'Tweeduizend dollar. De rest krijg je morgen. Hier, om dezelfde tijd.'

Malko koos het nummer van het kantoor van Dolores Zapata en kreeg haar secretaresse aan de lijn. De Colombiaanse was er niet. 'Kunt u haar vragen mij terug te bellen?' vroeg hij.
Hij liet zijn nummer achter en ging naar beneden, naar de portier van het Delano, die aan een tafeltje in de lobby zat. Hij bestelde een bos bloemen, die hij bij Dolores liet afleveren. Daar zou ze blij mee zijn. Net toen hij terug op zijn kamer was, ging zijn telefoon.
'Meneer Linge, u had me gebeld?'
Het was de zoete stem van Dolores.
'Ja,' zei hij. 'Ik wilde u eerst bedanken voor de heerlijke avond.'
Ze giechelde speels. 'Voor mij was het ook heerlijk. Hebt u al over het huis nagedacht?'
'Ik wil het nog eens bekijken. Wanneer zou het kunnen?'
'Dat moet ik even nakijken. Ik ben niet de enige. Kunt u me op mijn mobiel terugbellen? 305 887 56 41. Over een uur of twee.'
Malko vroeg zich af of het zover zou komen dat hij voor de CIA een huis in Coral Gables moest kopen.

'Fausto! Voor jou.' Mopperend gaf de gerant de telefoon aan de jonge bediende. 'Zeg dat ze niet tijdens werktijd moeten bellen.'
Met een schuldig gevoel nam Fausto het toestel over. De zoete stem deed zijn aderen meteen smelten. Ze fluisterde bijna. Haar

stem klonk zo schor, dat hij er kippenvel van kreeg.
'Faustino, ik had beloofd dat ik terug zou bellen. Hoe laat ben je vanavond klaar?'
Fausto Caligaro dacht dat zijn hart het niet meer uithield. 'Ik kan om halftwaalf weg, als het lukt om met een vriend te ruilen.'
'Mooi zo. Ik zal je uitleggen waar we elkaar kunnen ontmoeten.'
Toen hij ophing, was Fausto zo opgewonden, dat hij een stapel borden omstootte en moest beloven dat hij ze van zijn salaris van de komende weken zou terugbetalen. Maar dat deerde hem niet. Bij de gedachte dat hij zich eindelijk in de zoete Dolores mocht verdrinken, kon hij het wel uitschreeuwen.

Ricochet Rabbit kwam om tien over acht door uitgang 2 naar buiten en liep regelrecht door naar de Ford van Malko, die op het emplacement voor de bussen stond te wachten. Opgewonden riep hij uit: 'Wat is dat een rotstad, Jacksonville! En ik miste nog bijna het vliegtuig ook. Gaan we ergens eten?'
'La Carreta?' stelde Malko voor. Hij kende de smaak van de exagent van de Homicide Squad.
'Nee, op de Calle Ocho is iets beters, het Versailles.'
Malko reed in oostelijke richting weg, naar de Cubaanse wijk. Calle Ocho was een verkeersader waaraan de beste restaurants lagen. Een halfuur later stopte hij in de parkeergarage van het Versailles. Het was een reusachtig gebouw en zag er vreemd uit. Aan alle muren hingen geslepen spiegels, overal hingen kroonluchters en in de twee reusachtige zalen scheen een fel licht. De eigenaar hield zeker van de achttiende eeuw: overal stonden fonteinen. Nadat ze zwarte rijst, bonen en geroosterd varkensvlees hadden besteld, samen met de eeuwige daiquiri's, en Eddie over de telefoon een lang gesprek met zijn vrouw had gevoerd om zich te verontschuldigen omdat hij niet thuis kwam eten, leek Ricochet Rabbit zich eindelijk te ontspannen en stak hij een sigaret op.
'En?' vroeg Malko. 'Wat ben je te weten gekomen?'
Eddie García glimlachte sluw en zei op bescheiden toon: 'Ik heb wat speurwerk gedaan. Te beginnen met de dossiers van de

Homicide Squad. Een vriend van me heeft me een lijst van getuigen gegeven die ze in restaurant Wollenski hadden ondervraagd. Daar stond niets bijzonders op. Maar alle namen en adressen stonden er wel bij. Ik heb vijf namen gevonden: Colombianen die hier met een green card werken.'
'Waarom zij?'
Eddie lachte. 'Omdat het een Colombiaanse kwestie is.'
'En?'
'Nou, niemand van hen had een strafblad. Gewone immigranten die hierheen waren gekomen om aan de ellende te ontsnappen. Geen banden met kartels. Dat was jammer. Maar toen ben ik bij mijn baas eens in het dossier van Dolores Zapata gedoken. En ja, hoor, bingo! Ik vond de naam van een van die vijf daarin terug. Een zekere Fausto Caligaro.'
'Wat is zijn band met Dolores Zapata?'
'Hij stond in haar dossier omdat ze haar advocaat, mijn baas, had gevraagd om te bemiddelen voor een green card voor hem. Dat was drie jaar geleden en hij was toen tuinman en manusje-van-alles bij haar. Hij was haar aanbevolen door vrienden van wijlen haar man in Medellín.'
'Is dat alles?'
Eddie stak glimlachend een grote hap bonen in zijn mond. 'Ja, maar het is belangrijk. Ik heb de manier waarop de moorden zijn gepleegd eens goed bekeken. Er moet een medeplichtige in het restaurant zijn geweest. Sánchez Pastrana reserveerde nooit zelf. Jeb Pembroke ook niet. Maar de moordenaars liepen wel regelrecht op hun tafel af. En ze wisten dat er twee sicario's waren, die ze eerst hebben uitgeschakeld. Dat betekent dat iemand in het restaurant hun alles heeft doorgebriefd.'
'En dat zou Fausto Caligaro kunnen zijn geweest.'
De konijnentanden kwamen iets verder naar voren. 'Dat zullen we hem moeten vragen,' zei de ex-agent smalend. 'Het ziet er niet zo goed voor hem uit. Als ze zijn green card intrekken, moet hij terug naar huis, naar de armoede. Misschien dat hij dus wel wil meewerken, als hij in ruil daarvoor hier mag blijven. Maar misschien sla ik de plank wel helemaal mis. Als het klopt, ziet het er niet zo goed uit voor señora Zapata.'
Al pratende had hij zijn bord leeggegeten, maar Malko had zijn

vlees nauwelijks aangeraakt. 'Wat stel je voor?'
Eddie liet een harde boer. 'Nou, om te beginnen moeten we die Fausto Caligaro vinden. Er zit geen foto van hem in het dossier. En dan moeten we hem eens aan de tand voelen. Bij hem thuis, of wanneer hij van zijn werk komt. Als we hem bang genoeg maken, slaat hij wel door.'
'Hij zal nu wel in het Wollenski aan het werk zijn,' merkte Malko op.
'Prima,' besloot Eddie. 'We nemen nog een kop koffie en dan gaan we. Jij gaat naar binnen en wacht bij de telefoon. Ik bel hem, zodat je ziet wie het is.'

Fausto Caligaro bracht net een schaal langoesten naar een grote tafel toen zijn chef vanuit de deur naar het terras riep: 'Fausto, klootzak, telefoon!'
De jonge Colombiaan liet bijna de schaal langoesten vallen. Dat moest Dolores zijn, die wilde afzeggen. Snel liep hij naar de telefoon en pakte met bonkend hart de hoorn. '*Dígame*! Met Fausto.'
Niets. Stilte. Hij wachtte nog even en hing toen op. 'Er was niemand,' zei hij tegen de gerant.
'Jawel, een man. Dan was het zeker niet belangrijk.'
Dolores was het dus niet! Zijn afspraak gold nog steeds. Opgetogen liep Fausto met een wijnkaart terug.

'Ik heb hem gezien,' zei Malko. 'Een jongeman, kortgeknipt haar, gemiddelde lengte. Spijkerbroek en wit overhemd.'
'Mooi, dan hoeven we alleen nog maar te wachten,' besloot Eddie García, die achter het stuur van de Ford was blijven zitten.
Malko ging naast hem zitten. Ze stonden met gedoofde koplampen op het enorme parkeerterrein van Smith & Wollenski. Eddie stak een sigaret op en zei: 'Ik moet Carmencita bellen. We weten niet wanneer we klaar zijn en ik wil niet dat ze denkt dat ik bij een andere vrouw ben.'
Hij stapte uit en begon aan een lang telefoongesprek, dat hij met heftige gebaren bekrachtigde. Toen hij twintig minuten later weer in de Ford stapte, baadde hij in het zweet. 'Wat een ellen-

de,' verzuchtte hij. 'Je moet me persoonlijk naar huis brengen, anders gelooft ze me nooit. Toen ik zei dat ik niet wist hoe laat ik zou thuiskomen, dacht ik dat ze me zou vermoorden.'
De konijnentanden van Ricochet Rabbit leken nog langer te worden en hij zakte onderuit op zijn stoel. Ze konden nu alleen maar wachten. Het Wollenski bleef laat open, vergeleken met andere gelegenheden in Miami Beach. De radio stond aan en Eddie en Malko probeerden niet in slaap te vallen. Malko keek op zijn horloge: halfelf en het was nog behoorlijk druk in het restaurant. Misschien zouden ze wel tot één uur vannacht moeten wachten. Malko bedacht dat hij Dolores Zapata niet over het huis had teruggebeld. Hij was zo in gedachten verzonken, dat hij bijna de man niet zag die uit een zijdeur van het restaurant naar buiten kwam.
Fausto Caligaro.
De Colombiaanse ober liep tussen de geparkeerde auto's door.
'Dat is hem,' zei Malko tegen Eddie García.
De Amerikaan kwam overeind. 'Jezus, ik was in slaap gevallen. Waar?'
'Daar.'
Vaag zagen ze een lichtgekleurde gedaante tussen de auto's door lopen.
'Rij naar de uitgang van het parkeerterrein,' zei Eddie.
Dat deed Malko. Hij reed tussen de auto's door, tot hij bij de uitgang kwam, vlak achter een oude, witte Mustang. Eddie García schreef snel het nummer op. Fausto Caligaro sloeg Alton Road in noordelijke richting op en reed vervolgens over MacArthur Causeway in de richting van Miami. Er was nog vrij veel verkeer, zodat het niet zou opvallen dat hij werd gevolgd.
'Raar,' zei de ex-agent. 'Hij is vroeg van zijn werk vertrokken. Of hij is ziek, of hij heeft een afspraakje...'
Ze bereikten Biscayne Boulevard en de Mustang sloeg links af naar het zuiden. Fausto reed heel rustig. Ze passeerden een tiental straten en bleven almaar doorrijden. Eddie García zei: 'Hij woont zeker in Little Havana. Hij slaat dadelijk rechtsaf.'
De ober van het Wollenski sloeg niet rechtsaf, maar reed rechtdoor, stak de brug over de Miami River over en sloeg toen meteen rechtsaf 5th Street in.

'Kijk,' zei Malko, 'daar hebben we gegeten.'
Ze passeerden inderdaad de Big Fish. De Mustang reed door. Maar in deze sombere wijk was weinig verkeer en ze moesten afstand nemen. Een kilometer of 2 verderop vloekte Eddie García. De witte Mustang was verdwenen! Om hen heen lagen alleen onbebouwde terreinen met hekken of loodsen.
'Keer om,' stelde Eddie García voor. 'Hij moet ergens zijn gestopt.'
Ze reden terug en hielden de omgeving scherp in de gaten. Nergens stond een auto stil. Plotseling zag Malko links achter een hek een parkeerterrein. Op een bordje stond: GERESERVEERD VOOR BEZOEKERS VAN DE DISCOTHEEK. Vlak achter het hek stond een lichtgekleurde auto met gedoofde lichten geparkeerd. Malko hoorde muziek. 'Dat is hem,' zei hij.
Hij reed nog iets door en keerde toen. Hij stopte met zijn neus in de richting van het parkeerterrein aan de zijkant van de weg. Hij deed de motor uit en keek Eddie García aan. Die lachte. 'Hij heeft inderdaad een afspraakje. Misschien met Dolores Zapata. Dat zou mooi zijn.'
'Hier? Dat lijkt me een vreemde plek.'
'Het is hier stil, wanneer je in alle rust een nummertje wil maken,' zei de agent.
Ze wachtten zwijgend. Er passeerden twee auto's, die doorreden. Toen kwam er een derde aan, die heel langzaam reed. Voor het parkeerterrein minderde hij nog meer vaart. Binnen in de auto was het donker. Kennelijk zat er maar één persoon in. Ze konden hem niet goed zien. Het was te donker. De remlichten lichtten op en langzaam reed de auto het parkeerterrein op, tot hij voor de Mustang stopte. Er stapte een man uit.
'Dat is Dolores niet,' zei Eddie zacht. 'Ik vraag me af of...'
Een droog schot verbrak de stilte, gevolgd door nog een. De twee mannen schrokken op. De chauffeur van de tweede auto sprong weer achter het stuur. Achteruit reed hij het parkeerterrein af en draaide 5th Street op, in de richting van Brickell Avenue. Toen hij langsreed, schenen zijn koplampen de Ford in, zodat hij kon zien dat er twee mannen in zaten. Meteen gaf hij gas en verdween.
'*Holy shit*!' riep Eddie vloekend uit. 'Hij heeft hem neergeschoten!'

Malko had de motor al gestart. Hij deed de koplampen aan en reed weg. De andere auto draaide al Brickell Avenue op, naar het noorden. Malko sloeg eveneens af, door het rode licht, waarbij hij bijna een ongeluk veroorzaakte. De andere auto reed vijftig meter voor hen uit. Het was te ver om het nummerbord te kunnen zien. Plotseling daalde er een slagboom met knipperlichten voor de auto neer, zodat hij gedwongen was te stoppen. Tegelijkertijd begonnen er aan beide kanten van de weg twee grote, rode lichten te knipperen.

'De brug gaat open!' riep Eddie.

Wanneer er een schip door het kanaal ging, ging de brug omhoog, waardoor het verkeer enkele minuten moest wachten. Er waren verscheidene van dergelijke bruggen in Miami.

De auto van de moordenaar, een oude BMW, stond vlak voor het beweegbare deel van de brug, dat traag omhoog draaide om een kleine sleepboot te laten passeren. Malko stopte achter hem. Eddie García keek hem aan. 'Ik zal mijn vrienden bij de politie waarschuwen. Die sturen meteen een wagen om hem aan de andere kant van de brug op te vangen.'

Het linker voorportier van de auto van de moordenaar ging open. De chauffeur stapte uit, alsof hij een luchtje wilde scheppen. Hij was een jaar of veertig oud, met een heel donker, pokdalig gezicht. Kalm keek hij naar de Ford waarin Eddie García en Malko zaten. De Amerikaan keek Malko aan. 'Ben je gewapend?'

'Nee. En jij?'

'Ik ook niet. Ik heb alles thuis laten liggen, omdat ik ging vliegen. Jezus, moet je zien!'

De man die Fausto had neergeschoten, kwam kalm naar hen toe lopen. Zijn rechterhand hing ontspannen langs zijn zij, met daarin een groot pistool.

Instinctief schakelde Malko de auto in R, om achteruit te rijden, maar de achterkant van de Ford botste tegen de auto aan die achter hen stond. Als eerste in een lange rij. Ze zaten vast! De moordenaar van Fausto Caligaro naderde de Ford, hief kalm met beide handen zijn wapen op en richtte op het hoofd van Malko.

8

Malko's bloed stolde in zijn aderen. De loop van het wapen, aan de andere kant van het raam, bevond zich op vijftig centimeter van zijn hoofd. Hij had nog geen fractie van een seconde om te reageren. Uit alle macht trapte hij het gaspedaal in.
De Ford schoot naar voren, net op het moment dat het eerste schot klonk, gevolgd door nog twee. De drie kogels versplinterden het linker achterraam vlak achter Malko, terwijl de neus van de Ford zich in de achterkant van de BMW van de moordenaar boorde. De motor sloeg af. Ricochet Rabbit opende vloekend het portier aan zijn kant en sprong naar buiten. Diep geschokt besefte Malko dat hij nog in leven was. Vanuit zijn ooghoek zag hij dat de man die op hem had geschoten naar de BMW rende, waarvan het portier nog openstond. Zonder nog een keer op hem te schieten. Op hetzelfde moment hoorde Malko de sirene van een politieauto die over Brickell Avenue naderde. Ricochet Rabbit ging midden op de weg staan en zwaaide om de aandacht van de agenten te trekken. De moordenaar zat al weer in de BMW. Langzaam draaiden de twee helften van de brug omlaag. Nog even en het verkeer zou weer op gang komen. Toen de politieauto langs de rij wachtende auto's reed, startte de chauffeur van de BMW zijn motor. Het brugdek stond nog in een hoek van dertig graden omhoog, maar de BMW reed in volle vaart op de muur van ijzer af, erop rekenend dat hij, als hij genoeg vaart maakte, naar de andere kant van de brug door zou schieten, waarmee hij eventuele achtervolgers zou afschudden.
De rode lichten op de slagbomen, die nog steeds omlaag stonden, bleven knipperen en versperden de doorgang. De bumpers van de BMW versplinterden de slagboom. De auto leek te vliegen en reed vol gas het brugdek op, dat langzaam omlaag bleef dalen. Malko dacht dat hij vaart genoeg had om de andere kant te bereiken, maar de voorkant van de auto, met de motor erin, was te zwaar. De neus van de BMW ging omlaag en verdween met een vreselijk kabaal van verkreukelend blik in de opening.

Even bleef de auto in evenwicht hangen, maar toen kantelde hij en viel in het donkere water van de Miami River. Malko sprong de auto uit en rende naar Eddie García toe. Intussen waren de beide brughelften helemaal omlaag gedraaid en was het wegdek weer normaal. Op het gebouwtje van de brugwachter gingen schijnwerpers aan. Malko en Ricochet Rabbit renden naar de reling op de oever van de rivier. Van de BMW was geen spoor meer te zien. Hij was met chauffeur en al gezonken.
De politieauto stopte met gillende sirene naast hen en twee politiemannen sprongen met hun wapens in hun hand naar buiten. Mensen stapten uit, geschokt door het incident. Op de andere rijbaan begonnen de auto's al langs te rijden. De agenten ondervroegen de omstanders om te begrijpen wat er was gebeurd. Ze hadden een anonieme melding binnengekregen dat er op de brug werd geschoten.
Een van de agenten liep naar Ricochet Rabbit. 'Werd er op u geschoten?'
'Niets aan de hand,' zei de ex-agent. 'Volgens mij was hij niet goed wijs. Hij riep dat we tegen zijn auto op waren gereden.'
Tegelijkertijd hield hij zijn onderzoekspas en lidmaatschapskaart van de Dade County Police Department Retired Program onder zijn neus. Gerustgesteld controleerde de agent zijn identiteit en vroeg hem de volgende dag op het bureau langs te komen. Malko was onopvallend terug naar de Ford gelopen. Hij wilde hier niet rond blijven hangen. Eddie kwam terug en stapte achter het stuur.
Ze staken in noordelijke richting de brug over en sloegen in westelijke richting af naar 8th Avenue, waar ze een andere brug terug over de Miami River konden nemen.
'Laten we maar eens gaan kijken wat er is gebeurd,' zei Eddie somber. 'Als de politie er tenminste nog niet is.'
Ze keerden terug naar het parkeerterrein. De witte Mustang stond nog op dezelfde plaats. Fausto Caligaro lag voorover op het stuur, zijn gezicht onder het bloed. Hij was door minstens één kogel in zijn hoofd getroffen. Eddie maakte het portier open en doorzocht snel de zakken van de dode. Hij vond een rijbewijs en een beetje geld, plus een green card, waar hij nu niets meer aan had. Verder nog een zakdoek en een condoom.

Ze liepen terug naar de Ford, die er slecht aan toe was. De neus was ingedeukt en de achterruit was kapot. Terwijl ze door de donkere, verlaten straten terugreden, zei Eddie García: 'Het is mislukt.'
'We moeten zijn gevolgd,' opperde Malko. 'Dat kan niet anders. Of iemand in het restaurant heeft achterdocht gekregen.'
Ricochet Rabbit schudde zijn hoofd. 'Nee. Die vent had daar met iemand afgesproken. Misschien had het niets met onze zaak te maken. We weten meer wanneer ze die kerel hebben opgevist die hem heeft vermoord. Als ze hem tenminste kunnen vinden. Breng je me naar huis? Anders wordt het een drama met Carmencita. Ik woon op de hoek van 7th en 16th Avenue.'
Midden in Little Havana. Eddie verloochende zijn afkomst niet. Ze stopten voor een klein, enigszins Spaans aandoend huis met een trap buitenom en een balkon met een smeedijzeren hek.
'Morgen bel ik een paar vrienden om meer te weten te komen,' zei Eddie. 'Daarna bel ik jou.'
Malko reed door de donkere straten van Little Havana terug naar Miami Beach. Als Fausto Caligaro inderdaad iets met de moorden in het Wollenski te maken had gehad en hij had in opdracht van Dolores Zapata gehandeld, kon ze nu met een gerust hart slapen.

Dolores had die nacht geen oog dichtgedaan. Pepe had haar allang op haar geheime telefoon moeten bellen om een afspraak te maken voor de overdracht van de rest van het geld.
Niets. Stilte.
Ze durfde de Cubaan zelf niet te bellen. In haar ochtendjas haalde ze de *Miami Herald* uit haar brievenbus. Niets. Ze zette de televisie aan en stemde voor het nieuws van zeven uur af op het Spaanse kanaal. Haar hart bonkte in haar keel: het hele scherm werd gevuld door de witte Mustang van Fausto Caligaro. Er was te zien dat er een gedaante over het stuur heen lag. Een journalist, die voor het politiekordon stond, vertelde snel dat de politie, die was gealarmeerd door omwonenden, het lichaam een uur eerder had ontdekt. Hij was gedood met twee kogels in zijn hoofd.
Er waren geen aanwijzingen. Omdat de dode een Colombiaan was, werd er natuurlijk aan een drugszaak gedacht.

Opgelucht wilde Dolores het televisietoestel uitzetten, toen een commentator een ander gebeurtenis van die nacht aansneed. Nu waren er geen spectaculaire beelden, alleen de brug van Brickell Avenue en een agent die uitlegde dat er een vreemd ongeluk was gebeurd: na een schotenwisseling had de bestuurder van een auto, die nog niet was geïdentificeerd, geprobeerd over de nog openstaande brug te rijden en was in de Miami River gevallen. Op dit moment waren de auto en de bestuurder nog niet gevonden.
Dolores zette verbaasd koffie. Ze wist niet wat ze ervan moest denken. Haar eerste reactie was opluchting. Fausto Caligaro zou geen domme dingen meer kunnen doen. Dat was het goede nieuws. Maar het incident op de brug boezemde haar angst in.

'Het was een contract,' zei Eddie García over de telefoon. 'Ze hebben die vent zo-even gevonden. Een zekere Pepe Arreliano die in de haven van Miami werkte. Een Cubaan, een marielito. Dus een voormalige crimineel. Hij had tweeduizend dollar op zak, evenals een automatische Beretta, met een leeg magazijn.'
'Dat betekent dat mijn hypothese juist was,' concludeerde Malko. 'Fausto Caligaro heeft een rol gespeeld in de zaak-Pastrana.'
'Maar Dolores Zapata hoeft het niet te hebben gedaan,' bracht de Amerikaan daar tegenin. 'Misschien komen we binnenkort meer te weten. Hij had een telefoon bij zich. Misschien levert die nog iets op. Maar dat zal wel even duren.'
'Ga je verder met je onderzoek naar Dolores Zapata?'
'Ik heb nog een paar sporen,' zei Eddie García. 'Eerst ga ik naar een vriend bij de *Nuevo Herald*, een Colombiaan die iedereen hier kent. Ik zal proberen of we vanavond met ons drieën samen kunnen komen. Ik bel nog terug.'

'Geef me twintig dollar,' zei de parkeerhulp van het Delano met een grommende stem toen Malko hem zijn kaartje gaf om zijn auto op te halen.
Wat er tenminste van over was. In het daglicht zag het er nog erger uit: de voorkant was ingedeukt, de achterruit lag aan splinters en er zat een kogelgat in het dak. Malko glimlachte de parkeerhulp geruststellend toe. 'Ik raakte vannacht verzeild in

een vuurgevecht,' legde hij uit. 'Ik denk dat ik hem maar omruil.'
Het verbaasde hem dat de politie nog niet was gekomen. Hij reed naar het vliegveld, naar Alamo, waar hij de auto had gehuurd. Veel hoefde hij niet uit te leggen. Zodra de bediende zijn nummerbord zag, zei hij zenuwachtig: 'Meneer, ik mag u nog niet meteen een andere auto geven. De politie vroeg of we hen meteen wilden waarschuwen wanneer u kwam. Wilt u even gaan zitten?'
Intussen blokkeerden twee enorme negers al de uitgang. Malko gehoorzaamde en belde meteen Clemente Nelson, het hoofd van de Homicide Squad. De agent luisterde zijn verhaal aan en zei: 'Goed. Laat de collega's mij meteen bellen.'
Het duurde niet lang. Twee kleerkasten in het blauw kwamen met hun handen op hun holster binnen. Malko gaf hun meteen het visitekaartje van Clemente Nelson. 'Wilt u contact opnemen met kapitein Nelson? Hij is al op de hoogte.'
Het was binnen drie minuten geregeld. En Malko mocht vertrekken in een rode Buick zonder gaten en deuken. Hij reed naar het Dade County Police Department, dat midden in Downtown Miami lag, op de hoek van Second Avenue South-West en 13th Street, vlak bij een enorme snelweg waaronder men een parkeerterrein voor de auto's van de politie had aangelegd. Omdat hij geen plek kon vinden om te parkeren, belde Malko Clemente Nelson, die hem meteen toestemming gaf het parkeerterrein van de politie te gebruiken.
Hij kwam Malko tegemoet in de hal van het gebouw, waarin alle politiediensten waren verzameld, en bracht hem naar de tweede verdieping, naar een kantoortje met talloze foto's aan de muren. Vooral van doden...
'Gisteravond hebben getuigen bij de brug van Brickell Avenue uw nummer genoteerd,' legde hij uit.
'Ik was met Eddie García,' antwoordde Malko.
Hij vertelde de agent wat ze in die wijk deden en dat ze getuigen waren geweest van de moord op Fausto Caligaro. Nelson reageerde opgelucht. 'Mijn god, ik was bang dat u in een smerig zaakje verwikkeld was geraakt. Een ploeg van ons is al met Caligaro bezig. Ze hebben niets gevonden. Hij is een onbelang-

rijke immigrant. Toch is hij door een beroepsmoordenaar vermoord.'
'Door de man in de BMW, die daarna ook op ons heeft geschoten,' legde Malko uit.
Clemente Nelson knikte. 'Ik weet het. We hebben de auto gevonden en we hebben hem geïdentificeerd. Hij is een crimineel. Ik zal u zijn dossier laten zien.'
Hij nam achter zijn bureau plaats en begon op zijn computer te tikken, terwijl Malko de fotogalerij met criminelen aan de muur van het kantoor bewonderde. Even later wendde Nelson zich tot hem. 'Kijk, de eigenaar van die BMW heet Pepe Arreliano. Hij is in 1979 uit Cuba hierheen gekomen. Een marielito, dat wil zeggen: een crimineel die door Fidel Castro uit de gevangenis van Mariel is vrijgelaten en als politiek vluchteling naar ons toe is gestuurd. Hij is meerdere keren verdacht van drugssmokkel. Hij werkte voor de Miami Port Authority. En voor de Colombiaanse narco's... Toch is hij nooit bij moord betrokken geweest. Hij had een mobiele telefoon, als we die aan het praten krijgen, komen we misschien meer te weten.'
Hij wist kennelijk niets van de contacten tussen de ober uit het restaurant Wollenski en Dolores Zapata. Malko wilde het liever zo houden.
'Trouwens,' vroeg Clemente Nelson, 'waarom bent u in die Fausto Caligaro geïnteresseerd? Mijn mannen hadden niets verdachts over hem gevonden.'
Dat was een logische, maar lastige vraag. Malko probeerde zich eruit te redden. 'Eddie García heeft wat in zijn verleden gerommeld. Gisteravond besloten we hem te volgen en eens een hartig woordje met hem te praten.'
'Zou iemand daar lucht van kunnen hebben gekregen?'
'Onmogelijk.'
Hij legde uit waarom. De agent van de Homicide Squad reageerde verbaasd. 'De slachting in het Wollenski vond twee weken geleden plaats. Als die man gevaarlijk was, zouden ze hem al veel eerder hebben opgeruimd. Tenzij er zich nieuwe feiten hebben voorgedaan. Hoever bent u met Dolores Zapata?'
'Ik heb contact met haar gelegd,' gaf Malko toe. 'Ze probeert me een huis in Coral Gables te verkopen. Meer niet.'

Het gezicht van Clemente Nelson betrok. 'U zult niet zo gemakkelijk iets uit haar krijgen. Ze is een harde. Goed, ik zal de sheriff laten weten dat uw auto niet langer wordt gezocht.'

Toen Malko uit het kantoor van Nelson was vertrokken, belde hij Dolores haar kantoor. Ze was in gesprek, dus hij moest enkele minuten wachten tot hij haar aan de lijn kreeg. 'Ik heb u gisteren niet meer over het huis gebeld,' zei hij. 'Ik had het te druk. Maar ik wil het graag nog eens bekijken.'
'We kunnen er nu heen gaan, als u vrij bent,' stelde Dolores Zapata meteen voor.
'Ja, graag.'
'Goed, laten we daar afspreken. Het adres is Battersea Road 4322. Helemaal aan het einde, wanneer u van Douglas Avenue komt.'
Terwijl hij naar het zuiden reed, vroeg Malko zich af of hij zich niet vergiste. De Colombiaanse had niets weg van een drugssmokkelaar. Zo te zien deed ze eerlijk werk. Toen hij bij het huis kwam, was ze er al, en ze stond tegen haar SLK geleund te roken. Met een stralende glimlach op haar opgemaakte gezicht kwam ze naar hem toe en ze stak hem enigszins stijf haar hand toe. 'Ik zie dat u een andere auto hebt,' merkte ze op toen ze de rode Buick zag.
'Ik heb gisteren een ongeluk gehad,' legde Malko uit. 'Niets ernstigs. Iemand voor me remde plotseling. Ik heb bij Alamo een andere gehaald.'
'Dat gebeurt dagelijks,' zei Dolores Zapata, die er duidelijk niet helemaal met haar gedachten bij was. 'Laten we nu dit paleisje nog eens gaan bekijken. Voor deze prijs vindt u niets beters.'
Ze gingen het huis in en Malko deed de grootste moeite zich voor de uitleg van de makelaarster te interesseren. Toen ze weer buiten kwamen, leek ze een beetje teleurgesteld te zijn door zijn gebrek aan enthousiasme.
'U zult snel moeten beslissen,' zei ze ten slotte, 'want ik moet binnenkort voor een tijdje weg uit Miami. Als we daarvóór het contract zouden kunnen tekenen...'
'Ik wil er nog over nadenken,' zei Malko. 'Hebt u niets anders om te bekijken?'
'Niet in het genre dat u zoekt.'

Ze keek hem ontspannen aan, zeer sexy, en Malko legde een hand op haar heup. 'We hebben een fijne avond gehad,' zei hij, 'maar ik zou u graag nog beter willen leren kennen.'
Dolores Zapata's glimlach verstrakte iets. 'Ik geloof dat ik te veel daiquiri op had,' moest ze bekennen. 'Ik ga meestal niet zomaar...'
Malko onderbrak haar. 'Op dat gebied gebeurt niets "zomaar". Misschien was het een opwelling. Ik was zeer vereerd.'
'We zullen zien,' zei ze ontwijkend. 'Belt u me? Ik heb nog een andere afspraak.'
Ze stapte in haar SLK, Malko met weifelende gevoelens achterlatend. Vermoedde Dolores Zapata iets?

Opgesloten in haar kantoor en na een hamburger te hebben gegeten, verslond Dolores Zapata het artikel van de *Miami Herald* over het ongeluk van de vorige avond bij de brug op Brickwell Avenue. In de middageditie van de krant stonden veel meer details.
Om te beginnen stond de naam van Pepe Arreliano breeduit in de krant, naast een foto van het wrak van de oude, zwarte BMW. Volgens de krant had de bestuurder het vuur geopend op een witte Ford van verhuurbedrijf Alamo waarin twee mannen zaten. Plotseling was het of haar hart bleef stilstaan. De klant die Samuel Benchetrit naar haar toe had gestuurd, had in een witte Ford gereden en ze had op de achterruit de sticker van Alamo-Rent-a-Car gezien. En toen ze hem een uur geleden zag, was hij in een rode Buick gekomen en had hij verteld dat hij een ongeluk had gehad.
Het duurde enkele minuten tot het bonken van haar hart minder werd. Ze voelde zich alsof ze in een mijnenveld stond, verdeeld tussen een verlammende angst, een tomeloze woede en verbazing. Ze mocht haar tegenstanders nooit onderschatten.
Dolores rookte achter elkaar drie sigaretten op voordat ze haar gedachten op orde had gebracht. Ze stapte in de SLK en reed naar het Holiday Inn, waar ze zich opsloot in de telefooncel. Ze vond het nummer van het Alamo, op het vliegveld van Miami.
'Ik las in de *Miami Herald* dat een auto van u bij een ongeluk betrokken is geweest en wordt gezocht. Ik ben bang dat de

bestuurder een klant van mijn makelaarskantoor is...' zei ze tegen de verhuurder.
'Maakt u zich niet ongerust, mevrouw,' zei de man van Alamo-Rent-a-Car. 'Met die man is niets aan de hand. Hij was slechts een onschuldig slachtoffer. De politie is hier al geweest. U kunt hem zoveel huizen verkopen als u wilt.'
Dolores bedankte hem en hing op. Ze kon niet meer op haar benen staan. Als haar klant een gewone toerist zou zijn geweest, zou hij hebben verteld dat er op hem was geschoten. Zijn stilzwijgen bewees één ding: hij had haar niet benaderd om een huis te kopen... Ze begreep het niet allemaal, maar het was alarmerend genoeg. Ze liep naar de bar van het Holiday Inn en bestelde een dubbele whisky om tot rust te komen. Dit was de zandkorrel in haar machinerie. Veel ernstiger dan een onderzoek van de DEA. Haar klant was een echte Europeaan. Dat betekende dat er anderen waren die zich in de zaak interesseerden. Mensen die ze koste wat het kost uit de weg moest ruimen.

9

De gang van de *Miami Herald* liep dwars door het reusachtige gebouw dat zich over ruim een kilometer langs de oever van Biscayne Bay verhief. Aan het einde van MacArthur Causeway, die Miami Beach met Miami verbond, besloeg het een heel huizenblok tussen twee straten. Malko ging achter Eddie García aan de enorme zaal vol met door middel van wanden afgeschermde kantoortjes binnen, waarin de redactie van de *Nuevo Herald* was gevestigd, de Spaanse versie van de krant. Meteen begon er boven een van de wanden een arm te zwaaien en er stond iemand op die hen tegemoet kwam.

'Dat is Alberto Reyes,' zei de ex-politieagent. 'Hij is Colombiaan en weet alles over de Colombianen in Mexico.'

Reyes was een mollige man met een baard, een kaal hoofd en een lachend gezicht. Hij omhelsde Ricochet Rabbit, waarna hij stevig Malko's hand drukte. 'Wanneer u een vriend van Eddie bent, bent u een vriend van mij,' zei hij. 'Laten we gauw gaan eten, ik moet daarna meteen terug naar de krant.'

'Laten we naar La Carreta gaan,' stelde Ricochet Rabbit voor.

'Goed,' zei Alberto Reyes slechts.

Op de Calle Ocho gold eenrichtingsverkeer. Ze moesten 7th Street nemen en toen terugrijden. Op een bordje boven de kassa van het restaurant stond: WANNEER U EEN VALSE CREDITCARD OVERLEGT, WORDT METEEN DE POLITIE GEWAARSCHUWD. Twee agenten in uniform zaten zich aan een tafel vol te proppen. Hun radio's lagen naast hen. Hier werd alleen Spaans gesproken en de lichtste maaltijd bestond uit linzensoep en geroosterd varkensvlees met een berg zwarte rijst en zoete aardappelen.

Ze namen sangria en het lukte Malko op de kaart een mini-steak te vinden, al moest die, zo te zien, toch ook nog minstens een pond wegen. Alberto Reyes keek hen nieuwsgierig aan. Hij moest hem uitleggen waar hij Eddie García van kende.

'O, Manuel Cuevas, dat was nog in de goeie ouwe tijd,' verzuchtte de journalist met enige heimwee in zijn stem. 'Nu is het veel rustiger.'

'Toch vond er onlangs in het Wollenski nog een bloedbad plaats,' merkte Malko op.
Die woorden leken de Colombiaanse journalist niet aan het schrikken te brengen. 'O, dat was gewoon een contract. Die sicario's telden niet mee. Hun namen stonden niet eens in de krant. Het is een vreemd verhaal. Iedereen wist dat de oude Sánchez Pastrana zich had teruggetrokken en al met één voet in het graf stond. Hij liet zelfs geen hoertjes meer uit Colombia komen.'
'Zou het een wraakactie van een vroegere vriend kunnen zijn geweest?' vroeg Malko.
Reyes haalde nonchalant zijn schouders op. 'De opvolgers van het kartel van Medellín, dat nu niet meer bestaat, zijn veel minder wreed. En waarom nu pas? Nee, er moet een andere reden zijn.'
'Je komt net terug uit Medellín. Wat zeiden ze er daar over?' vroeg Ricochet Rabbit.
'Niet veel,' moest de journalist bekennen. 'Het gerucht gaat dat hij had voorgesteld iemand aan de DEA te verraden om niet terug naar de gevangenis te hoeven gaan. Misschien dat jullie het in die hoek moeten zoeken. Jullie zouden het aan een vent moeten vragen die ik daar heb ontmoet, El Tuerto, Carlos Barco, ook een spijtoptant. Hij woont in Miami en hij kent alle roddels uit het narco-circuit. Hij zei dat hij probeerde zijn restaurant te verkopen, het San Miguel. Het verbaasde me hem daar te zien. Ik dacht dat hij het San Miguel al lang geleden had verkocht.'
'Zou hij iets met de zaak-Pastrana te maken kunnen hebben?' vroeg Malko.
De journalist barstte in lachen uit. 'Hij? Nooit. Hij zou nog geen grammetjes cocaïne de Verenigde Staten binnen smokkelen. Dan riskeert hij vijfhonderd jaar gevangenisstraf.'
Malko wachtte tot hij de ander de helft van zijn vlees op had, voordat hij verderging. 'Kent u een zekere Dolores Zapata?'
Alberto Reyes nam er de tijd voor zijn tandvlees schoon te peuteren, voordat hij antwoordde: 'De weduwe van Eduardo Manseri? Die in Coral Gables woont? Haar man was de rechterhand van Fabricio Ochoa. Ze zijn er nooit achter gekomen wie hem heeft omgelegd. Zij is knap en schijnt er wel pap van te lusten,

zoals alle meisjes uit Cali. Ze zeggen dat ze zelfs lang geleden een Arabier heeft gehad.'

Ricochet Rabbit, die met een tandenstoker zijn gebit schoon zat te maken, prikte in zijn tandvlees en Malko viel bijna van zijn stoel. 'Een Arabier? Hier in Miami?' vroeg hij.

De journalist knikte. 'Zeker. Het is lang geleden. Haar man was in Colombia. Ze heeft die Arabier aan heel wat Colombiaanse vrienden voorgesteld. Ze zei dat hij een prins was.'

'Weet u hoe hij heet?' vroeg Malko, die zijn oren niet kon geloven.

'O, nee.' De journalist schonk nog wat sangria in en vervolgde: 'Ik herinner me alleen dat ze hem had leren kennen toen ze een appartement in een groot gebouw aan de Brickell verkocht. Het Imperial, geloof ik.'

Daar wist noch de CIA, noch de DEA kennelijks iets van.

'En verder?' drong Malko aan.

'Niets. Dolores kom ik zo nu en dan tegen op feesten. Ze is nog steeds vreselijk mooi en ze is nog steeds makelaar.'

'Denkt u dat ze voor de narco's smokkelt?' vroeg Malko.

'Als dat zo zou zijn, zou ze zich niet druk hoeven te maken om rottige appartementjes van 1.500 dollar per maand te verhuren.' Hij keek op zijn horloge. 'Goed, ik moet nu gaan.'

Terwijl ze terug over de Calle Ocho reden, bleef Malko Alberto Reyes met vragen bestoken. Tevergeefs. Hij had alles verteld wat hij wist. Zodra ze hem bij de *Miami Herald* hadden afgezet, vroeg Malko aan Eddie García: 'Kun je het nagaan, in het Imperial?'

'Geen punt. Ik zal proberen aan een lijst met eigenaars te komen. Dat moet niet zo moeilijk zijn. Hopelijk staat het appartement wel op zijn naam en niet op naam van een bedrijf. En we moeten maar afwachten of er niet meer Arabieren in het gebouw zitten.'

Het kabaal in het Porcao overstemde alle gesprekken en garandeerde een absolute discretie. Dat kwam Dolores Zapata goed uit. Ze had zojuist uitvoerig aan Carlos Barco uitgelegd waarom ze Fausto Caligaro had laten ombrengen. De narco, die aan zijn tweede Defender zat, zat op een barkruk en werd er niet vrolij-

ker op. 'Waarom heb je het me niet gezegd dat je hem wilde opruimen?' vroeg hij op verwijtende toon. 'We moeten eerlijk tegen elkaar zijn. Anders...'
'Anders wat?' protesteerde de Colombiaanse woedend. 'Ik ben degene die jou een zaak aanbiedt die je zonder enig risico miljoenen dollars zal opleveren. Het enige wat je hoeft te doen, is de spullen bij elkaar te brengen en naar Venezuela te sturen. En over een week heb je tien miljoen dollar verdiend.'
'Jij ook,' zei Carlos.
'Ik loop al het risico,' bracht Dolores daar droog tegenin. 'Kijk maar naar die smeerlap Pastrana, met wie ik in zee moest gaan.'
'Goed, goed,' suste Carlos. 'Laten we gaan eten. Ik heb trek.'
Nu kwam het erop aan. Dolores legde haar hand op de arm van haar partner. 'Wacht. Ik moet je nog iets zeggen. Er is nog een klein probleem.'
Carlos Barco verstrakte. 'Wat nog meer?'
'Iemand was in Fausto geïnteresseerd. Ik heb er goed aan gedaan hem te laten opruimen.'
Ze vertelde hem over de valse klant en de verdenkingen die ze jegens hem koesterde. Carlos slikte bijna zijn Defender met glas en al in. Met zijn gezicht pal bij het hare, zonder acht te slaan op de barman, die dacht dat ze geliefden waren die ruzie hadden, beet hij haar toe: 'En dat noem je een kléin probleem? Waarschijnlijk zitten er mensen achter ons aan die nog erger zijn dan de DEA.'
'Ze zitten achter míj aan, niet achter jou' merkte Dolores kalm op. 'En ik zal het probleem zelf oplossen. Die vent heeft niets in de gaten. Voordat ik de stad uit ga, schiet ik zelf twee kogels door zijn hoofd. Dan hebben wij genoeg tijd om de deal af te ronden. Maar ik heb jouw hulp nodig om in het geheim uit Miami weg te komen. Nu word ik misschien te scherp in de gaten gehouden. Ik wil niet een hele meute politie achter me aan krijgen.'
Geschokt zei Carlos Barco met een zachte stem: 'Ik stop ermee. Jammer, maar ik bel Oscar in Caracas dat hij de spullen terug moet brengen.'
Dolores wierp hem een lange, ijzige blik toe en merkte kalm op: 'Als je dat doet, vermoord ik je.'

Carlos begreep dat ze het meende. Elkaar strak aankijkend stak de Colombiaanse haar rechterhand in haar tas en haalde er gedeeltelijk een kleine revolver uit. 'Ik schiet je hier ter plekke twee kogels in je buik en ik smeer hem.'
Carlos Barco voelde het bloed uit zijn gezicht wegtrekken. 'Je bent gek!' stamelde hij.
'Stop je of ga je door?'
'Goed, ik ga door, maar...'
Dolores liet haar revolver verdwijnen en gerustgesteld pakte ze zijn arm beet. 'Geen gemaar. We redden ons wel, zonder dat we rare dingen hoeven te doen. Kun je weer contact leggen met Los Antrax?'
'Ja, ik denk het wel.'
'Misschien hebben we ze weer nodig. Ik zal je uitleggen waarom. Jij vertrek naar Spanje, dat is geen probleem. Niemand weet dat je er iets mee te maken hebt. Ik moet juist erg voorzichtig zijn. Die vent heeft lokale contacten bij de DEA of bij andere instanties. Ze willen me niet arresteren, maar ze proberen te ontdekken wat er aan de hand is. Ze weten nog niets, maar ik moet wel zorgen uit Miami weg te komen zonder dat ze het in de gaten hebben. Daarvoor moet ik op het laatste moment degenen uit de weg ruimen die me schaduwen.'
'Wil je daar Los Antrax voor gebruiken?'
'Misschien. Heb je je jacht nog?'
'Ja.'
'Waar?'
'In de jachthaven, vlak voor mijn flat.'
'Goed. Kun je daarmee naar de Bahama's varen?'
'Ja, maar dat kost wel een paar uur. Waarom?'
Eindelijk glimlachte Dolores. 'Dit is mijn plan: zeer binnenkort gaan we een tochtje maken om ergens te picknicken. Laten we zeggen naar Key Largo. Ik nodig mijn klant uit, degene die zogenaamd een villa bij me wil kopen. Wanneer we op zee zijn, zetten we hem met zijn voeten in het cement en kieperen hem overboord. Daarna zet je me af in Freeport of in Nassau, waarvandaan ik met een vals paspoort het vliegtuig neem. Jij keert terug naar Miami en vertrekt later pas, langs de officiële weg.'

'Dat vertrouwt hij nooit,' protesteerde hij. 'Hij is een smeris, of zoiets.'
Dolores glimlachte sluw. 'Nee, ik laat hem denken dat hij me op de boot mag hebben. En ik denk dat hij daar wel trek in heeft.'
Carlos Barco bestelde een derde Defender om de paniek die in hem oprees te onderdrukken. Híj was nu degene die alle risico's nam. Dolores onderschatte haar tegenstanders. 'We kunnen hem beter van tevoren uitschakelen,' zei hij.
'Als dat mogelijk is,' gaf Dolores toe. 'Maar dat is nog moeilijker. Goed, laten we gaan eten.'
Ze liepen naar een van de tafels in het restaurant, waar net de vleesronde van de serveersters begon. Dolores had er goed op gelet dat ze niet was gevolgd toen ze naar het Porcao kwam. Twee bevriende motorrijders waren achter haar aan gegaan om te kijken of niemand haar schaduwde.

Malko kwam om drie uur bij het Dade County Police Department aan. Sinds die ochtend had hij niets meer gehoord van Eddie García, die op zoek was naar de geheimzinnige Arabier die vroeger een relatie had gehad met Dolores Zapata. Nelson had hem gebeld om te zeggen dat hij nieuws had over de man uit de BMW.
De agent van de Homicide Squad wachtte hem op in zijn kantoor. Voor hem stond een groot glas cola naast een dik dossier. Het gezicht van de agent straalde. 'We hebben een pistool in de auto van Pepe Arreliano gevonden,' zei hij. 'Het magazijn was leeg. Ballistiek is er al mee bezig, maar ik denk dat het het wapen is waarmee Fausto Caligaro is vermoord. Nu moeten we er nog achter komen in wiens opdracht hij het heeft gedaan. In zijn zak had hij tweeduizend dollar. We zijn op zoek naar vingerafdrukken.'
De Homicide Squad wist dus nog steeds niets van de contacten tussen Fausto Caligaro en Dolores Zapata. Malko besloot zijn mond te houden. Zelf begreep hij ook nog niet waarom de ober van het Wollenski zo'n groot gevaar voor Dolores was dat ze hem had opgeruimd.
Nelson keek hem met een vreemde blik aan. 'Mag ik u iets vragen?' vervolgde hij.

'Natuurlijk. Wat?'
'Zelfs als een Arabier iets met deze cocaïnezaak te maken heeft, denkt u dan echt dat dat is om geld voor terroristen te verdienen?'
'Dat is een aannemelijke veronderstelling,' antwoordde Malko.
De agent schudde zijn hoofd. 'Die rot-Arabieren. We moeten ze allemaal wegvagen. George W. Bush is veel te voorzichtig. We hebben massa's atoombommen liggen en we doen er niets mee. In plaats dat we ze onze jongens in Irak laten vermoorden, moeten we dat hele rotland platgooien. Als blijkt dat de vent die u zoekt een Irakees is...'
'In Irak zijn geen prinsen,' verbeterde Malko hem. 'En de terroristen van 11 september waren Saoediërs en Egyptenaren.'
'Allemaal één pot nat,' gromde Clemente Nelson.

Dolores zat in een reisbureau in Miami Beach en maakte een lijstje van alle vluchten van de Bahama's naar Europa. Dat was niet eenvoudig en het was het eenvoudigst om via Mexico of Venezuela te vliegen.
Ze schreef alles op en vertrok. Door de zenuwen had ze die nacht geen oog dichtgedaan. Ze liep een stukje over de Lincoln, een voetgangersstraat, en stopte bij verscheidene etalages om te zien of ze werd gevolgd. Niets. Sinds ze wist dat haar klant geen echte klant was, voelde ze zich angstig en kwaad.

De vier snijtanden van Ricochet Rabbit leken te dansen van plezier. Toch nam hij er eerst ruimschoots de tijd voor de wiegende billen van een Cubaanse serveerster op het terras van het Delano te volgen, voordat hij een vel papier op tafel legde. Het was nog rustig op het terras en de Amerikaan zei opgewonden: 'Kijk eens wat ik heb gevonden.'
Malko bekeek de lijst met namen. Een ervan was groen aangegeven: Ryad Al-Khobar-bin-Saoud, appartement 24c.
'Ik ben er zelf naartoe gegaan. En ik had geluk: de beheerder van het Imperial is afkomstig uit dezelfde stad als mijn familie. Dit is die verrotte Arabier die we zoeken!'

10

'Woont hij daar op dit moment?' vroeg Malko meteen.
De grote snijtanden leken nog groter te worden. 'Nee, hij heeft al jaren geen voet in Miami gezet. Een werkster komt er regelmatig schoonmaken. Rekeningen worden naar een adres in Saoedi-Arabië gestuurd en per bank voldaan.'
Malko kon wel juichen. Eindelijk had hij een concreet spoor gevonden van de geheimzinnige Arabische minnaar van Dolores Zapata. De vermoedelijke partner in het drugstransport.
Eddie García nam opgewonden een slok Defender en zei: 'Sánchez Pastrana had het bij het rechte eind. En die slet Dolores zit inderdaad achter de moorden in het Wollenski. We moeten haar zonder enig respijt achter de tralies zetten. Als ze eenmaal is opgesloten, zal ze wel praten.'
Zijn reflexen als politieagent namen de overhand en Malko probeerde hem tot rust te brengen. 'De belangrijkste persoon in deze zaak is die Arabier, Ryad Al-Khobar-bin-Saoud,' legde hij uit. 'Eerst moeten we hem vinden en dan moeten we erachter zien te komen of hij inderdaad iets te maken heeft met een groot cocaïnetransport. Ik denk niet dat Dolores veel zal zeggen wanneer ze wordt opgepakt. Ze is een harde. We kunnen beter van een afstand blijven toekijken en dan op het juiste moment ingrijpen. Ik zal Washington meteen vragen of zij meer over die Saoediër weten. Ik ga naar mijn kamer, daar ligt mijn versleutelde telefoon.'
Hij liet Eddie alleen op het terras achter en ging naar boven. Bij de CIA zou hij een wachtofficier aan de lijn krijgen, daarom wilde hij Teresa Wilhem rechtstreeks bellen, om geen namen over de telefoon door te hoeven geven. De jonge vrouw leek enigszins verrast te zijn maar Malko stak meteen van wal: 'Ik heb uiterst gevoelige informatie voor het kantoor,' zei hij. 'Kunt u naar het Delano komen?'
'Nu?'
'Ja. Bent u ver weg?'
'In Noord-Miami.'

‘Ik wacht hier op u,’ zei Malko. ‘Op het terras van het restaurant. Ik neem aan dat u op kantoor over beveiligde communicatie-apparatuur beschikt?’
‘Natuurlijk.’
‘Tot straks dan.’
Toen hij beneden kwam, begon het drukker te worden op het terras. Ricochet Rabbit bekeek met openhangende mond een trio dat zojuist was aangekomen. Een man van een jaar of vijftig met een heel donkere, door de zon gebruinde huid en een zware, gouden ketting om zijn nek, knap en helemaal in het zwart gekleed, vergezeld door twee fantastische droomwezens. Een brunette met lang haar en een hooghartige blik, op hakken van vijftien centimeter, nog maar net gekleed in een dun, blauw truitje dat was dichtgeknoopt over haar grote, puntige borsten en een rok die zo kort was, dat die meer liet zien dan verborg. Ze had een donkere huid, een fel opgemaakte mond en met goudpoeder besprenkelde oogleden. Het tweede meisje was van hetzelfde soort, maar zwart als antraciet. Zij was gekleed in een wit T-shirt met in gouden letters de tekst CATCH ME en een spijkerbroek met gaten en glitterende namaakdiamanten, die haar als een tweede huid omspande. Malko dacht dat Eddie García’s ogen uit zijn hoofd puilden. De gerant begroette het trio opgetogen en zette hen aan een tafel aan de rand van het zwembad. Even later kwam hij terug met een fles Champagne Taittinger Comtes de Champagne rosé, millésimé 1996. Hij was duidelijk een goede klant. Verveeld keken de twee meisjes om zich heen.
Eddie García’s handen trilden. Hij klampte een van de Cubaanse obers aan en vroeg in het Spaans: ‘Wie zijn die twee wonderen?’
‘Hen ken ik niet, maar hij is Baruch Ribeiro, een zeer bekende, Colombiaanse modefotograaf. Hij woont op de Lincoln en komt hier vaak. Altijd met een paar spetters.’
Ricochet Rabbit leek als door de bliksem getroffen. ‘Baruch Ribeiro?’ herhaalde hij zacht. *‘Holy shit!’*
‘Ken je hem?’ vroeg Malko.
‘Van naam. Ik had hem nog nooit in levenden lijve gezien. Hij is ook een Colombiaan en staat bekend als de bonte hond. Ze noemen hem “The Fixer”.’
‘Waarom “The Fixer”?’

Ricochet Rabbit liet zijn stem verder dalen. 'Dat is een lang verhaal. Het schijnt dat hij al als student door de CIA is gerekruteerd in een stadje in het oosten van Colombia, met als doel *subversivos* te ontmaskeren. Hij werd al gauw zelf ontmaskerd en de CIA heeft hem overgedaan aan de FBI, die hem naar Bogotá stuurde. Daar is hij door de DEA overgenomen. Zij gebruiken hem kennelijk nog steeds als tussenpersoon bij narco's die willen overlopen. Hij onderhandelt voor hen en strijkt daarbij miljoenen aan commissie op. Bovendien is hij een bekende fotograaf. Hij werkt voor de grote tijdschriften. Ik had zijn beroep moeten kiezen, in plaats van politieagent te worden.'
'Ach, jij hebt je Carmencita toch? Dat kleine wondertje van je,' zei Malko geruststellend.
'Ja,' gaf de Amerikaan toe.
Malko bestelde nog een glas Defender. 'Wat die Baruch Ribeiro doet, is erg gevaarlijk,' merkte hij op.
'Nee, de narco's aanbidden hem. Als tussenpersoon heeft hij niets te vrezen van de DEA. Het verbaast me hem hier te zien. Ik had verwacht dat hij in de gevangenis zat.'
'Waarom? Hij stond toch op goede voet met de DEA?'
'Hij heeft problemen met de Belastingdienst. Witwassen van geld en belastingfraude. Hij is tot een jaar veroordeeld. Zijn advocaat heeft er alles aan gedaan om dat te voorkomen, maar vergeefs.'
'Hoe weet je dat allemaal?'
Ricochet Rabbit rukte zich los van de twee vriendinnen van de Fixer en knipoogde naar Malko. 'Zijn advocaat is Douglas Sommer, mijn baas. Ik wil zolang wel op die twee passen, wanneer hij in de gevangenis zit.'
'Kom, laten we gaan eten, tot Teresa Wilhem komt,' stelde Malko voor.

Ze waren net klaar met hun langoesten, die waren opgediend met een onbekend groente, toen Teresa Wilhem binnenkwam. Ze was duidelijk onder de indruk van de chique omgeving en heel wat bescheidener gekleed dan de twee vriendinnen van Baruch Ribeiro: overhemdblouse en grijze broek.
'Wilt u iets eten?' opperde Malko zodra ze zat.

‘Nee, dank u, ik heb al gegeten. Ik neem wel iets te drinken.’
Ze bestelde een bloody mary en plotseling zag Malko dat haar gezicht betrok. Ze keek strak in de richting van Baruch Ribeiro.
‘Weet u wie daar aan tafel zit?’
‘Ja, mijn vriend Eddie García kent hem.’
‘Ik walg van die vent,’ zei ze.
‘Toch werkt hij voor úw kantoor.’
Teresa Wilhem vertrok haar gezicht. ‘Ik weet het. Goed, waarom wilde u me spreken?’
Malko gaf haar een vel papier waarop hij de naam van Ryad Al-Khobar-bin-Saoud had geschreven. ‘Ik wil informatie over deze persoon. Neemt u vanavond direct contact op met Langley. Zodra u meer weet, moet u meteen naar me toe komen. Belt u eerst even.’
‘Goed,’ zei Teresa Wilhem terwijl ze het papier pakte.
En zonder haar bloody mary leeg te drinken vertrok ze alsof de duivel haar op de hielen zat.
Ricochet Rabbit liet zijn langoest koud worden en kon zijn ogen niet afhouden van Baruch Ribeiro, die stiekem met de tepels van de negerin speelde, die door haar T-shirt priemden. Het meisje kirde dommig en dronk het ene glas champagne na het andere. De brunette zat mokkend met haar palmtop te spelen.
‘Dit is niets voor mij,’ kreunde Eddie García. ‘Veel te veel rijken en veel te mooie vrouwen. Ik ga terug naar Carmencita.’
Hij liet zijn langoest staan, leegde zijn glas en vertrok eveneens.
Malko besloot nog een wodka te nemen. Dat had hij wel verdiend. Toen ging zijn telefoon.
‘Ik stoor toch niet?’ vroeg de zoete stem van Dolores Zapata.
Malko’s hartslag ging iets omhoog.
‘Nee, hoor. Ik zit in mijn eentje in het restaurant van het Delano. Hebt u zin om hierheen te komen?’
‘Bedankt, maar ik ben moe. Hebt u nog over het huis nagedacht?’
‘Ik doe niet anders,’ bezwoer Malko haar. ‘Het is moeilijk om te beslissen. Gunt u me nog wat tijd. Ik blijf wat langer in Miami.’
‘Dan zouden we dit weekend kunnen afspreken,’ stelde de Colombiaanse voor. ‘Dan heb ik de tijd. Een vriend van me heeft een groot jacht. We zouden zaterdag kunnen gaan picknicken in Key Largo.’

'Met genoegen,' antwoordde Malko. 'Maar...'
'Ik weet het,' zei ze meteen. 'Ik deed de vorige keer nogal koel. Maar ik was ook zo moe. Bovendien ben ik een beetje bang voor mannen als u, vooral als ze me domme dingen laten doen.'
'Ik zal gauw een besluit over het huis nemen,' beloofde Malko. 'Ik bel u morgen.'
Hij zei bij zichzelf dat hij om het wantrouwen van de Colombiaanse weg te nemen, met het geld van de CIA tien procent van de prijs van het huis zou aanbetalen.
Toen hij zich omdraaide, zag hij dat Barack Ribeiro gearmd met de negerin langs de rand van het zwembad wegliep. Al gauw verdwenen ze achter de kokospalmen. De seksbom met het bruine haar bleef verbaasd achter. Hun blikken kruisten elkaar en Malko glimlachte haar toe. 'Kan ik u iets te drinken aanbieden?'
'Zeker,' zei ze meteen. 'Komt u erbij.'
Hij ging aan haar tafel zitten.
'Wilt u mij nog wat champagne inschenken?'
De fles Taittinger, de tweede, was nog halfvol. Hij schonk twee flûtes in en ze toostten. 'Ik ben June,' zei de brunette. 'Hoe heet u?'
'Malko.'
Ze dronken samen en Malko vroeg beleefd: 'Komt uw vriend nog terug?'
Het zwembad grensde aan het strand.
In de donkere ogen van de tropische schoonheid fonkelde een woedende blik. 'Niet meteen,' siste ze. 'Baruch wilde haar in het zwembad neuken.'
'Dat zal het personeel niet op prijs stellen,' merkte Malko op. 'Ze zijn hier nogal preuts.'
June glimlachte spottend. 'Om deze tijd is daar niemand. Bovendien interesseert hem dat niet. Hij is een ster. Hij houdt van zulke dingen.'
Toen Malko haar verbaasd aankeek, zei ze. 'Gelooft u me niet? Kom maar mee.'
Ze stond op en ging hem voor over de trap naar het zwembad. Het was bijna donker en er was niemand te bekennen. Bovendien vormden de kokospalmen een haag tussen het terras en het

strand. Heupwiegend liep June voor Malko uit, alsof ze hem uitnodigde haar te bespringen. Ze straalde een en al sex-appeal uit. Ze liepen langs het zwembad naar de kant die aan het strand grensde. June bleef zo plotseling staan, dat Malko bijna tegen haar op botste. 'Kijk,' fluisterde ze.
Malko zag eerst alleen een donkere vlek: het overhemd en de broek van Baruch Ribeiro. De modefotograaf stond enkele meters verderop.
'Ze staan te neuken, die schoften,' gromde June.
Malko volgde haar blik. De negerin had haar armen om de nek van de Colombiaan geslagen, die langzaam heen en weer bewoog. De onderkant van hun lichamen was niet te zien, maar het was wel duidelijk wat er gebeurde. Ze stonden tot aan hun middel in het water en de negerin leunde met haar rug tegen de rand van het zwembad. Baruch Ribeiro zag hen, maar hij leek niet te schrikken. Hij stak zijn hand op en zwaaide naar hen, waarna hij doorging met waarmee hij bezig was.
Malko zag hoe de mondhoeken van June omlaag zakten. Woedend maakte ze snel de knopen van haar blauwe truitje open en bevrijdde haar reusachtige borsten, die geen centimeter omlaag zakten. Toen volgden haar rok en een minuscuul, zwart slipje. Malko zag dat ze haar schaamhaar in de vorm van een hartje had geschoren.
'Laten we ook gaan zwemmen,' zei ze op vastbesloten toon.
Zonder op Malko te wachten, liet ze zich in het water glijden en zei geërgerd: 'Kom je ook?'
Malko trok nu eveneens zijn kleren uit, legde ze op een ligstoel en ging het lauwe water in. Tien meter bij hen vandaan stond Baruch Ribeiro met regelmatige bewegingen de negerin te neuken, terwijl hij met haar bleef praten. Zodra Malko in het water was, drukte June zich tegen hem aan. Haar bruin gebrande borsten drukten tegen zijn borst en hij voelde hoe haar buik tegen de zijne golfde. Even later keek ze hem scheef aan. 'Je bent toch geen homo, hè? Waarom raak je niet opgewonden?'
Ze wist wat ze wilde. Malko wilde haar uitleggen dat dit niets voor hem was, maar dat zou geen zin hebben. Om haar kwaadheid te verjagen, stak hij een hand onder water en begon haar te strelen. June kalmeerde direct. Hij deed zijn uiterste best het

stelletje naast hem te vergeten en al gauw begon hij te groeien. Meteen stak June plagerig een tong in zijn oor. 'Neem me dan. Doe het langzaam.'
Met achterover hangend hoofd, haar armen op de rand van het zwembad leunend, haar bekken omhoog gekanteld en haar benen gespreid liet ze zich als een erotische inktvis op het water drijven. Malko drong moeiteloos in haar en meteen opende ze haar ogen. 'Niet komen, alsjeblieft.'
Hij zei niets, hij hield er niet van bevelen te krijgen, maar toen June voelde dat hij klaar ging komen, maakte ze zich met een draai van haar heupen los en liet hem in het water van het zwembad klaarkomen. Binnen een oogwenk was de jonge vrouw het water uit geklommen, pakte een achtergelaten handdoek, droogde zich af en kleedde zich aan. Malko deed hetzelfde, al voelde hij zich enigszins gefrustreerd. Toen liepen ze samen terug naar het terras. Baruch Ribeiro en de negerin gingen nog steeds met hetzelfde trage ritme door. June keek met een minachtende blik achterom en zei: 'Hij kan niet klaarkomen.'
Zodra ze zaten, vroeg ze of Malko het laatste restje champagne wilde inschenken. Glimlachend keek ze hem aan. 'Je bent cool. Ik voelde me idioot, zo in mijn eentje. Als je wilt, kunnen we naar mijn huis gaan. Ik heb een flat vlakbij, aan het einde van de Lincoln. Als je wat wil snuiven, heb ik de beste.'
Malko sloeg het aanbod af.
'Goed,' zei ze. 'Ik ga naar huis. Als je ooit nog eens langs wil komen, ik woon in flat nummer 1201, in het Decco-Plagegebouw, Lincoln 100.'
Samen liepen ze het terras af en in de hal namen ze afscheid van elkaar. Malko kuste haar hand, wat June flink leek te verbazen. Ze was weinig gewend. Toen Malko terug in zijn kale, witte kamer was, kreeg hij al spijt dat hij niet op de uitnodiging was ingegaan. De grote, schuin hangende spiegel aan de muur zou dan nog érgens goed voor zijn geweest. Het kostte hem moeite de slaap te vatten. Hij vroeg zich af wie Ryad Al-Khobar-bin-Saoud in werkelijkheid was.

De telefoon op zijn kamer ging precies om negen uur over. 'Ik ben beneden bij het terras,' zei de kalme stem van Teresa Wilhem. Malko had zelfs geen tijd om eerst onder de douche te stappen. De vrouw van de CIA wachtte op het lege terras achter een kop koffie. In het Delano stond iedereen laat op.
'Dit heb ik ontvangen,' zei ze. 'Ik hoop dat het compleet is.'
Met kloppend hart maakte Malko de envelop open die ze hem gaf en vouwde de drie afdrukken open die uit de computer waren gerold.
Links bovenaan stond een kleurenfoto van een donkere man met een kleine snor en een pafferig gezicht. Malko las:

Prins Ryad Al-Khobar-bin-Saoud is geboren in 1954 in Ryad. Zijn familie is heel rijk. In 1962 gaat hij naar de school Rosay in Zwitserland, daarna naar Champville. In 1976 schrijft hij zich in op de universiteit van Miami in Florida. Hij beëindigt zijn studie in 1979, waarna hij naar de universiteit van Biscayne gaat, waar hij tot 1981 blijft. Vervolgens vertrekt hij naar New Jersey, waar hij verscheidene studies afrondt en zijn doctorsgraad haalt.

Daarna keert hij terug naar zijn land, Saoedi-Arabië, waar hij bij Saoud Global Trading gaat werken, een olie verhandelend bedrijf. Hij reist veel om olie te kopen, vooral naar Venezuela, waar hij regelmatig komt. Zijn vermogen wordt geschat op enkele honderden miljoenen dollars.

Hij is een praktiserend moslim, die niet rookt of drinkt en leeft volgens de wahabitische leer.

De familie Al-Khobar is een heel oude stam die uit Syrië afkomstig is, maar zich al lang geleden in Riyad heeft gevestigd, de hoofdstad van het Saoedische koninkrijk.

De grootvader van Ryad Al-Khobar heeft naast de oprichter van de dynastie gevochten, koning Abd Al-Aziz-ibn-Saoud, die een pijler van het huidige regime vormt.

Hoe verder Malko las, hoe verbaasder hij werd. Dit was niet bepaald de levensloop van een cocaïnesmokkelaar. Onverschillig bekeken door Teresa Wilhem las hij verder.

De generatie van Ryad Al-Khobar telt vier broers. De oudste, Nawaf, is onmetelijk rijk en heeft huizen overal in Europa. Hij is getrouwd met een dochter van de erfprins Abdallah ibn-Abd-al-Aziz-al-Saoud, de commandant van de nationale Saoedische garde en in feite het hoofd van de regering. Dit vanwege de ziekte van zijn oudste broer, de koning. De tweede broer, Anwar, is in Jordanië gevestigd. Hij is de minst rijke van de vier.

Ryad Al-Khobar heeft een tweelingbroer, Mahmoud, getrouwd met Jawaher Al-Saoud, een dochter van de staatssecretaris van defensie, prins Abderaman ibn-Abd-al-Aziz-al-Saoud.

Ryad is met een andere dochter van deze man getrouwd, Loloua ibn-Abd-al-Aziz-al-Saoud.

De tweeling Al-Khobar zijn beiden schoonzoons van de staatssecretaris van Defensie, die zelf de broer is van koning Fahd.

Ze gebruiken de titel 'prins' en Ryad Al-Khobar heeft een diplomatiek Saoedisch paspoort, nr. 272-4. Hij reist vaak naar het buitenland in toestellen die normaal voor Saoedische ambtenaren worden gebruikt.

Hij gaat regelmatig naar Venezuela, waar hij uitstekende relaties onderhoudt met president Chavez.

Malko legde de papieren op tafel en keek Teresa Wilhem aan. 'Hebt u het gelezen?'
'Ja.'
'Wat vindt u ervan?'
'Hij kan de man niet zijn die we zoeken,' zei ze bits. 'Ook al heeft hij een avontuurtje gehad met die Dolores Zapata. Ze zegt maar wat.'
Ze leek bijna geschokt te zijn dat Malko het haar had gevraagd. Hij was er duizelig van. Tussen al die Arabische namen door was hem één ding duidelijk: Ryad Al-Khobar-bin-Saoud, die volgens Dolores betrokken was bij cocaïnesmokkel, was lid van een van de machtigste Saoedische families. Bovendien een van de rijkste. En volgens de CIA was hij een goede moslim, die niet gokte, niet rookte en niet dronk.
Hij zat nog in gedachten verzonken, toen zijn telefoon ging. Het

was Jack MacLaughlin, de adjudant van George Tennet, directeur van de CIA. Zijn stem klonk vreemd. 'Nog steeds in Miami?' vroeg hij met een geforceerde vrolijkheid.
'Zeker,' antwoordde Malko. 'U weet van de papieren af die ik zojuist heb ontvangen?'
'Daarom bel ik u. Het moet om een vergissing gaan.'
'Een vergissing?'
'Zeker. Die Saoedische prins is een vriend van Washington. Zijn oom is zelfs ambassadeur in Washington geweest. De Saoediërs zijn onze bondgenoten.'
'Natuurlijk,' gaf Malko toe, 'maar vóór 11 september woonde de hele familie Bin Laden in de Verenigde Staten. George W. Bush heeft hun nog persoonlijk toestemming gegeven om na 11 september te vertrekken. Toch was Osama Bin Laden verantwoordelijk voor 11 september.'
'Ja, natuurlijk,' gaf de tweede man van de CIA toe, 'maar dit is anders. Ryad al-Khobar heeft nooit iets verdachts gedaan.'
'Ik heb in Miami getuigen gevonden dat hij omging met Dolores Zapata, van wie bekend was dat ze contacten had met...'
'Dat heeft niets te betekenen,' onderbrak Jack MacLaughlin hem. 'Een verliefde student. Dat meisje schijnt erg mooi te zijn. Wat bent u nu van plan te gaan doen?'
Malko was sprakeloos en het duurde even voordat hij antwoordde. 'Ik ga natuurlijk door met mijn onderzoek. Ik heb contact gelegd met Dolores Zapata en er staan nog meer dingen te gebeuren.'
'Mooi,' zei Jack MacLaughlin op vriendelijke toon. 'Ik wilde u alleen even mijn persoonlijke mening geven. Hou me op de hoogte.'
Zodra Malko de verbinding had verbroken, vroeg Teresa Wilhem: 'Hebt u me niet meer nodig?'
'Nee.'
'Goed, dan ga ik. Ik heb het druk.'
Stomverbaasd ging Malko terug naar zijn kamer en stapte onder de douche. Hij wilde net naar beneden gaan om te ontbijten, toen zijn versleutelde telefoon weer ging. 'Ik verbind u door met Jack MacLaughlin,' zei een neutrale vrouwenstem.
'Malko? Met mij weer,' zei de nummer 2 van de CIA.

Zijn stem klonk een stuk vriendelijker dan een uur geleden.
'Hebt u nieuws?' vroeg Malko.
'Ja,' antwoordde de Amerikaan. 'We hebben zo-even een kleine bespreking gehad over uw zaak, met vertegenwoordigers van het Witte Huis en Buitenlandse Zaken. We hebben de zaak geëvalueerd.'
'Wat houdt dat in?'
'Dat u uw missie in Miami met succes hebt afgerond, waar wij u voor bedanken. We verzoeken u alle informatie die u hebt verzameld aan de plaatselijke DEA te geven. Zij zijn beter in staat de zaak af te handelen dan wij, nietwaar?'
'Natuurlijk,' beaamde Malko op matte toon.
Zijn benen voelden aan als lood. Kortom: de CIA blokkeerde het onderzoek naar de cocaïnesmokkel ten bate van Al Qaeda om de Saoedische vrienden van het Witte Huis niet tegen de haren in te strijken.

11

Malko moest zich tot het uiterste inspannen om niet in woede uit te barsten. De identificatie van een mogelijke verdachte die een Saoedische prins was en familie van de koning, verlamde duidelijk het Amerikaanse kader. Hij probeerde Jack MacLaughin gerust te stellen. 'Ik heb geen enkel bewijs dat Ryad Al-Khobar betrokken zou zijn bij cocaïnesmokkel,' legde hij uit, 'maar er zijn wel enkele schokkende aanwijzingen. Bovendien zijn er zes doden gevallen vanwege deze zaak. Door mijn contacten hier denk ik beter in staat te zijn met resultaten te komen dan de DEA.'
'Het is heel waarschijnlijk dat Dolores Zapata iets met die smokkel te maken heeft,' gaf MacLaughlin toe, 'maar gezien de achtergrond van die Saoedische hoogwaardigheidsbekleder, kan hij onmogelijke een verdachte zijn. Misschien heeft Dolores Zapata zijn naam genoemd om te bluffen.'
'Misschien,' gaf Malko toe, al geloofde hij er geen woord van.
Hij merkte dat de tweede man van de CIA zich slecht op zijn gemak voelde. Het was heel vervelend om vanwege politieke redenen een onderzoek te stoppen. Malko wilde het er niet op aan laten komen.
'Ik zal afronden waarmee ik bezig ben,' zei hij ten slotte, 'en voordat ik uit Miami vertrek, geef ik alles wat ik weet aan het hoofd van de plaatselijke DEA, Kevin Crane.'
'Uitstekend,' zei Jack MacLaughlin duidelijk opgelucht. 'Waarom komt u niet eerst langs in Langley?'
'Dat is een goed idee,' antwoordde Malko. 'Weet u trouwens waar prins Ryad Al-Khobar op dit moment is?'
'In Saoedi-Arabië, geloof ik. Daar is moeilijk achter te komen.'
Malko drong niet aan. Zijn enige kans was onweerlegbaar bewijs te vinden van de betrokkenheid van de Saoedische prins bij de smokkel van cocaïne. Wanneer Dolores Zapata niet iedereen had gemanipuleerd, was ze betrokken bij een grote zaak. En als haar ex-minnaar er niets mee te maken had, waarom had ze zijn naam dan genoemd?
Nadat hij afscheid had genomen van Jack MacLaughlin, staarde

Malko peinzend voor zich uit. Toen ging zijn telefoon opnieuw. Het was Clemente Nelson, het hoofd van de Homicide Squad. 'Kunt u bij me langskomen? Ik heb nieuws.'

De omgeving van het Dade County Police Department zag er luguber uit. Het was een wijk met arme, Cubaanse gezinnen, braakliggende terreinen, kantoren en onder een tak van de snelweg een parkeerterrein voor de politie. De auto's die op de verhoogde weg langsreden, maakten een hels kabaal. Een jonge, latino agent in uniform bracht Malko naar het kantoor van Clemente Nelson. Die sloot zorgvuldig de deur voordat hij Malko glimlachend aankeek. 'Ik heb een zeer vertrouwelijke mededeling voor u.'
'Over de opdrachtgever tot de moord op Fausto Caligaro?'
'Nee.'
De agent leek te aarzelen. Ten slotte vermande hij zich en nadat hij een fles Defender uit een kast had gepakt en Malko een glas had aangeboden, zei hij, duidelijk met tegenzin: 'Ik kreeg zoeven een telefoontje van mijn baas over u,' zei hij. 'Ik mag er niet met u over praten, maar omdat u een vriend van Eddie García bent, wilde ik u toch op de hoogte stellen. Ik heb bevel gekregen niet meer met u samen te werken. Zonder u er iets van te zeggen, natuurlijk. Het is mij verboden u verdere informatie te verschaffen of u logistiek te helpen. Ik moet bekennen dat ik het niet goed begrijp.'
Malko wierp hem een enigszins verbitterde glimlach toe. Dit was de eerste reactie na zijn gesprek met Jack MacLaughlin. De CIA isoleerde hem. 'Ik begrijp het wel,' zei hij.
Hij legde de agent uit wat hij over de ex-minnaar van Dolores Zapata had ontdekt. 'Ik weet niet of die Saoediër er werkelijk iets mee te maken heeft,' gaf hij toe, 'maar alleen al het feit dat ik hem verdenk, heeft de regering-Bush in alle staten gebracht. Nu proberen ze de zaak in de doofpot te stoppen. Ik denk dat de DEA net zulke instructies zal hebben gekregen.'
'Het is dus een cover-up,' zei het hoofd van de Homicide Squad vol minachting. 'De politici zijn nog even verrot. Luister, Kevin Crane, het hoofd van de DEA in Miami, is een vriend van me. Een man van hen, een special agent, is vermoord. Ik zal hem

uitleggen hoe de vork in de steel zit, en wat zijn officiële opdracht ook zal zijn, hij zal u blijven helpen zo goed hij kan. Hebt u zijn mobiele nummer?'
'Nee.'
'Schrijf op: 305 775 763 45 61. Ik zal hem voorzichtig op de hoogte brengen.'
Ondanks de reactie van Nelson voelde Malko zich verbitterd. Hij had zo'n enorme beerput opengetrokken dat iedereen als de dood was. Maar het zou nog erger kunnen zijn: dat Ryad Al-Khobar schuldig was en het Witte Huis hem toch om duistere redenen beschermde.
Alles was mogelijk.
Hij nam met een hartelijke handdruk afscheid van Clemente Nelson. Zodra hij in de auto zat, wilde hij iets controleren. Teresa Wilhem nam op nadat de telefoon twee keer was overgegaan.
'Ik wil u graag spreken,' zei Malko. 'Er zijn een paar punten waarbij u me zou kunnen helpen.'
'O, het spijt me,' zei de vrouw van de CIA in Florida. 'Ik moet naar Washington en ik kom pas dinsdag terug. Belt u me dan.'
Haar stem klonk uiteraard heel natuurlijk. Nog een dichtgeslagen deur. Koppig belde Malko vervolgens Kevin Crane, het lokale hoofd van de DEA. Zijn charmante secretaresse zei: 'Een ogenblikje, ik verbind u door met meneer Crane.'
Malko wachtte even, tot de zoete stem van de secretaresse zei: 'Meneer Crane is in vergadering. Hij belt u zo snel mogelijk terug.'
'Dank u wel,' zei Malko.
Kevin Crane zou nooit terugbellen. Op de terugweg naar Miami, besefte hij dat zijn enige bondgenoot nog Ricochet Rabbit was, die buiten de oekazes van de politie stond. Toch was het niet veel in een strijd tegen rijke, goed georganiseerde narco's. En misschien een Saoedische miljardair.
Hij moest hem in elk geval op de hoogte stellen. Toen hij hem belde, nam hij meteen op. 'Ik heb nieuws,' zei hij.
'Ik ben in Noord-Miami,' zei Ricochet Rabbit. 'Zullen we ergens halverwege afspreken? Ik weet een leuk restaurant, de Tuna's Waterfront Grill, op 172nd Street. Als het verkeer meezit, een halfuur rijden van waar je nu bent.'

'Het restaurant van Carlos Barco is al zeven jaar geleden door hem verkocht,' zei Eddie García. 'Intussen is het failliet gegaan en bestaat het niet meer.'
Carlos Barco had dus gelogen tegen Alberto Reyes, de journalist van de *Nuevo Herald*, en wilde de ware reden voor zijn bezoek aan Medellín verbergen. Maar dat had nog niets met Dolores Zapata te maken en nog minder met Ryad Al-Khobar. Er konden talloze redenen voor die leugen zijn.
'En jij?' vroeg de Amerikaan. 'Je zei dat jij ook nieuws had.'
'Laten we eerst bestellen,' zei Malko. 'Het is een lang verhaal.'
De Tuna's Waterfront Grill was een bescheiden restaurant tussen Biscayne Boulevard en Biscayne Bay. Het terras lag aan een kleine jachthaven. Je kon er vanaf zee of over land komen. Malko bestelde de specialiteit van het huis: twin lobsters en bier.
Toen de ober weg was, stelde hij Eddie García op de hoogte van de nieuwe handelwijze van de CIA. De Amerikaan leek niet echt verrast te zijn. 'Het is niet voor het eerst dat het Witte Huis de Saoediërs beschermt,' zei hij. 'Meteen op 12 september heeft Bush de hele familie Bin Laden, die in de Verenigde Staten woonde, op het vliegtuig gezet om te voorkomen dat hun kwaad zou worden aangedaan. En dat hij zo op Irak is gebrand, is gedeeltelijk om zijn Saoedische vrienden te beschermen.' Terwijl Malko aan zijn kreeft begon, vroeg Eddie García: 'Wat ga jij nu doen?'
'Ik ben bang dat ik aan alle kanten zal worden tegengewerkt,' zei Malko. 'Ik heb geen enkel bewijs dat die Ryad Al-Khobar iets met cocaïnesmokkel te maken heeft. Ik weet zelfs niet waar hij is. En met Dolores Zapata is het van hetzelfde laken een pak. We zijn er zeker van dat ze achter de moord in het Wollenski zit, maar we kunnen er niets mee. Dit weekend ga ik met haar de zee op. Misschien dat ik dan meer te weten kom. Maar ik kan niet eindeloos in Miami rond blijven hangen.'
'En ik dan?' protesteerde Eddie García. 'Ik heb niets met Washington te maken.'
'Dat is waar,' gaf Malko toe. 'Je hebt me vreselijk goed geholpen. Maar wat nu?'
Ricochet Rabbit leek de kreeften met zijn grote snijtanden met huid en haar op te eten. Hij veegde zijn lippen af, die glommen

van de gesmolten boter, nam een slok bier, boerde en zei: 'Er is er maar één die je kan helpen. De Fixer, Baruch Ribeiro. Hij weet precies wat er allemaal in Colombia gaande is. Hij kent iedereen. Als er iets groots wordt voorbereid, is hij ervan op de hoogte. Dat is zijn handelswaar.'
'Misschien,' gaf Malko toe. 'Maar hij zal niet willen praten.'
Ricochet Rabbit volgde met zijn ogen een prachtige vrouw in een badpak, die aan boord van een motorjacht ging, en terwijl hij zijn tanden schoon peuterde, zei hij: 'Misschien is daar een oplossing voor. Baruch is wegens belastingontduiking veroordeeld. Op 1 juli verdwijnt hij achter de tralies. Ondanks zijn contacten is hij daar niet onderuit gekomen. Hij is niet ziek, zoals Sánchez Pastrana, maar hij heeft ook geen zin om te worden opgesloten. Je hebt gezien hoe hij leeft. Ik ken de details van zijn zaak omdat mijn baas me naar de rechtbank heeft gestuurd om een verzoek tot kwijtschelding in te dienen, wat door het hooggerechtshof van Florida is verworpen. Wanneer je hem dus een serieus aanbod kunt doen, werkt hij misschien mee.'
'Hij kent me niet,' protesteerde Malko. 'Bovendien kan ik hem niets aanbieden.'
'Mij kent hij,' reageerde García. 'Hij weet dat ik voor Douglas Sommer werk. Als ik tegen hem zeg dat ik, dankzij enkele contacten bij het Witte Huis, een truc weet om onder zijn gevangenisstraf uit te komen, zal hij toehappen.'
Malko glimlachte droevig. 'Eddie, je weet dat het Witte Huis niet meer achter me staat. Noch de CIA, noch de DEA. Niemand.'
Eddie García boog zich over de tafel. Van dichtbij leken zijn tanden nóg groter. 'Dat hoeft híj niet te weten.'
'Hij zal aan zijn advocaat vragen of het waar is.'
'Nee, want die rekent elke keer dat hij zijn mond opendoet 500 dollar,' zei de Amerikaan glimlachend. 'Het is de moeite van het proberen waard. En je kent zijn vriendin al. Zeg hem maar dat hij het bij mij kan navragen.'
Het klonk verleidelijk. Malko zag de Colombiaan nog voor zich, naakt in het zwembad, terwijl hij de liefde bedreef met de negerin. Hij had er vast alles voor over om vrij te blijven.
Hij pakte de rekening en zei tegen Eddie García: 'Ik zal het vanavond proberen.'

Het kostte Malko weinig moeite om het telefoonnummer van Baruch Ribeiro te vinden. Hij wachtte tot zes uur die avond voordat hij belde. Een slaperige vrouwenstem nam op.
'Ik wil June graag spreken,' zei Malko.
'Daar spreek je mee.'
'Met Malko. We hebben elkaar gisteravond op het terras en in het zwembad van het Delano ontmoet.'
'Malko! Leuk dat je belt,' zei June met een stem vol verlangen. 'Waarom kom je niet even langs? Baruch komt straks terug, maar op het terras is het gezellig.'
'Ik kom eraan.'
Hij ging er lopend heen. Lincoln Avenue lag maar enkele straten ten noorden van het Delano. De portier kondigde hem over de telefoon aan en hij ging naar boven, naar de twaalfde verdieping. June deed open, slechts gekleed in een groen schortje en met blote borsten. Ze omhelsde hem vluchtig en bracht hem naar een enorm terras dat uitkeek op het strand van Miami. Zo'n beetje overal stonden ligbanken. June deed haar schortje af en ging op een ligbank liggen. 'Ik wil nog een beetje bruin worden,' zei ze.
Op een laag tafeltje stond een glas daiquiri. Ze dronk het leeg, rekte zich uit en wierp Malko een brandende blik toe. 'Het was gisteren fijn.'
Ze rekte zich nog een keer uit, maar liet nu haar benen iets gespreid liggen. Op een plagerige toon vroeg ze: 'Wat dacht je van een duik in de Amazone?'
'Ik heb geen tijd om naar Brazilië te gaan,' antwoordde Malko glimlachend. 'Ik moet terug naar Europa.'
June barstte in lachen uit. 'O, maar je hebt alle tijd. Het is helemaal niet ver.'
Toen hij het nog steeds niet leek te begrijpen, legde ze haar arm in zijn nek, spreidde haar benen nog verder en duwde Malko met zijn gezicht tussen haar dijen.
Het was er warm en geparfumeerd. Ze had wat veel schaamhaar, maar hij deinsde niet terug. Al gauw begon ze te kreunen, steeds harder, en klemde ze haar vingers in zijn haar. Tot ze over haar hele lichaam begon te schokken, terwijl ze een rauwe kreet slaakte, wat betekende dat ze klaarkwam. Haar gespierde dijen

klemden om zijn hoofd, tot ze zich ontspande en hem losliet. 'Dat was heerlijk,' zei ze zuchtend. 'Het is een uitdrukking van Baruch, die zegt dat hij de Amazone in duikt wanneer hij me gaat likken. Hij heeft liever geschoren meisjes. Wil je een daiquiri?'
Een prachtig voorbeeld van egocentrisme. Malko zou haar misschien nog hebben genomen wanneer hij de deur niet dicht had horen slaan. Baruch Ribeiro kwam samen met de grote negerin binnen. Hij leek het niet vreemd te vinden Malko bij de geheel naakte June aan te treffen. Hij schudde zijn hand. 'We hebben elkaar gisteren in het Delano gezien,' zei hij slechts. 'Ik heet Baruch. U kent mijn vriendin, Valeria. Ze komt van Cuba. Hoe heet u?'
'Malko.'
'Mooi. We gaan in de zon liggen.'
Hij trok zijn hemd en broek uit en ging in een goed gevulde slip met luipaardprint op een ligbank liggen. Valeria trok haar spijkerbroek en T-shirt uit en hield een zwart slipje aan, waarna ze naast de Colombiaan ging liggen. Dertig tellen later boog ze zich over hem heen, trok voorzichtig de rand van zijn slip omhoog en ontblootte een grote penis in ruste. Met gesloten ogen nam ze hem in haar mond, of het de natuurlijkste zaak van de wereld was. June genoot van de zon. Malko probeerde niet te kijken. Het was een vreemde gewaarwording. Baruch Ribeiro begon te kreunen en te hijgen, terwijl Valeria steeds sneller begon te bewegen. Hij pakte haar in haar nek beet en duwde zijn stijve geslachtsdeel zo diep mogelijk in haar mond. Hij hijgde nog een paar keer hard en slaakte toen een woeste kreet.
Meteen deed June haar ogen open.
Valeria bleef met haar hoofd op de buik van de man liggen, zijn penis nog in haar mond. Baruch Ribeiro rekte zich uit, draaide zich naar Malko en vroeg met een natuurlijke stem: 'Eet u met ons mee? We gaan naar een leuk, Frans restaurantje. Ze draaien er goede muziek, en mijn vriendinnen gaan mee.'
'Met genoegen,' antwoordde Malko.
Baruch Ribeiro gaf een tikje op de bolle billen van Valeria. 'Vooruit meisjes, gaan jullie je eens mooi maken.'
Gehoorzaam stonden June en Valeria op en verdwenen in het

penthouse. Baruch sloeg een handdoek om zijn middel en zei: 'Ze zijn lief en neuken lekker. U moet Valeria eens proberen. Cubaanse meisjes zijn de lekkerste die ik ken. Ze zeggen dat ze vingers in de wanden van hun vagina hebben en als ze je pijpen, voel je nooit hun tanden. Dat leren ze op school...'
Hij zuchtte en stak een Cohiba op, die hij uit een leren hoes haalde. 'Het leven is goed.'
'U neemt het ervan,' zei Malko.
'Natuurlijk,' beaamde Baruch Ribeiro.
'Het zou jammer zijn wanneer daar een einde aan zou komen,' merkte Malko op.
De ander verstrakte en legde zijn sigaar opzij. Nieuwsgierig keek hij Malko aan. 'Waarom zegt u dat?'
'Omdat u op 1 juli dit allemaal moet verruilen voor de gevangenis van Dade County.'

12

Na hem enkele seconden stomverbaasd te hebben aangekeken, verstijfde het gezicht van Baruch Ribeiro tot een hatelijke grijns. Met een strakke blik stak hij zijn hand in het tasje waaruit hij de Cohiba had gehaald en pakte een groot, zwart pistool, dat hij op Malko richtte. 'Wat heeft dat te betekenen, zak?' beet hij hem toe. 'Wie ben jij?'
Het vernislaagje was gebarsten. Malko bewoog zich niet. De Colombiaan was woedend en heel goed in staat hem ter plekke neer te schieten. Malko keek hem slechts aan en zei: 'Uw verzoek om kwijtschelding van de straf wegens belastingontduiking is door het hooggerechtshof van de staat Florida verworpen. Op 1 juli gaat u voor een jaar de gevangenis in. U gaat er natuurlijk niet dood, maar u zult niet meer voor fototripjes naar Brazilië kunnen gaan.'
De ogen van Baruch Ribeiro waren tot streepjes samengeknepen. Hij was vuurrood van woede en de loop van het pistool drukte tegen Malko's slaap. 'Klootzak!' zei hij weer. 'Hou je mond of ik vermoord je. Ben je soms een smeris?'
Malko stond langzaam op en keek hem aan. 'Nee, ik ben geen smeris. Maar misschien kan ik iets aan uw probleem doen.'
Zonder verder te gaan, liep hij naar binnen, terwijl de Colombiaan hem nog steeds met het wapen bedreigde. Voordat hij het terras verliet, draaide hij zich om en zei tegen Baruch Ribeiro: 'Bel Eddie García maar, de ex-DEA-agent die voor Douglas Sommer werkt. En wanneer u van mening over mij mocht veranderen, belt u me dan in het Delano, kamer 408.'

De telefoon op de kamer van Malko ging op 8.37 uur over. 'Was u het die vanmiddag bij June was?' vroeg Baruch Ribeiro zonder zijn naam te noemen.
'Ja.'
'Ik sta beneden bij het biljart,' zei hij, waarna hij ophing.
Malko ging naar hem toe. De Colombiaan, nog steeds in het zwart gekleed, had zijn leren tasje op een tafeltje voor hem

neergelegd. Hij nam Malko met een woedend blik op. 'Had u het niet anders kunnen brengen? Ik had u wel dood kunnen schieten.'
'In dat geval zou u veel langer achter de tralies zijn verdwenen.'
De Colombiaan zat onderuitgezakt op een bank, die tegen de muur stond naast een van de enorme pilaren die het vijftien meter hoge plafond van de zaal tussen de lobby en het terras ondersteunden. In de zaal lagen een biljartruimte, een theesalon en een bar.
'Eddie García heeft verteld wie u bent,' zei de Colombiaan zacht. 'Ik vertrouw hem. Wat is uw voorstel?'
'Dat u voor mij een beetje doet wat u altijd al doet.'
Baruch Ribeiro schudde zijn hoofd en grijnsde verbitterd. 'Die klootzakken van de DEA zeggen dat ze me niet kunnen helpen, omdat ik onenigheid heb met de Belastingdienst. Na alles wat ik voor hen heb gedaan. Goed, nogmaals: wat is uw voorstel?'
'Ik wil informatie hebben,' legde Malko uit. 'Wanneer u die kunt geven, gaat u niet de gevangenis in. Dan wordt uw veroordeling omgezet in een voorwaardelijke straf.'
'Hoe kan ik u geloven?'
'Ik ken Eddie García al heel lang. Hij weet dat ik niet uit mijn nek klets.'
De Colombiaan keek hem aan met een blik waarin wantrouwen plaatsmaakte voor belangstelling. 'Hoe speelt u dat klaar?'
'Dat doet er niet toe,' antwoordde Malko. 'Ik kan het. Bent u geïnteresseerd?'
'Ja. Wat wilt u?'
'U kent Carlos Barco?'
'Natuurlijk. Die heeft zich hier met heel wat poen teruggetrokken. Hij doet niets meer. Hij woont in het westen van Miami Beach, in een van de nieuwste bungalows, die daar zijn gebouwd. Sunset Harbor Drive, geloof ik. Waarom?'
'Hij is kortgeleden in Medellín geweest. Ik wil weten waarom.'
'Dat is alles?'
'Ja. Als u me tenminste de wáre reden vertelt. Geen onzinpraatjes, als "familiebezoek". Ik wil alle details weten en vooral de ware reden voor zijn reis.'
'En dan?'

'Dan niets. We gaan als goede vrienden uit elkaar en u gaat naar Brazilië.'
De Colombiaan keek hem wantrouwig aan. 'Beseft u wel wat u van me vraagt?'
'Zeker,' antwoordde Malko. 'Maar Eddie kent uw dossier: Douglas Sommer kan niets meer voor u doen.'
'Die schoft heeft me 50.000 dollar armer gemaakt.'
'Ik vraag er niets voor.'
Ribeiro stikte bijna. 'U meent het! Weet u wel wat Carlos Barco zal doen wanneer hij hoort dat ik hem heb verraden?'
'Dan loopt u de kans Sánchez Pastrana achterna te gaan,' gaf Malko toe. 'Maar dat risico zult u moeten nemen. Van mij zal hij het in elk geval niet horen.'
'Waarom wilt u het weten?'
'Dat mag ú me vertellen.'
De Colombiaan streek met zijn hand door zijn lange, zwarte haar. Hij aarzelde. 'Goed,' zei hij ten slotte. 'Laten we gaan eten, zoals ik eerder al zei. Voor het einde van de avond geef ik u antwoord.'

Er hing een verhitte sfeer in de discotheek. Het was een soort grote, vierkante strohut in de openlucht, met achterin een bar en een geluidsinstallatie die pijn deed aan je oren. Het eten dat werd opgediend, was weinig en slecht. Malko, die tussen June en Valeria in zat, bekeek Baruch Ribeiro. De Colombiaan ging regelmatig naar buiten om te bellen. Eddie García had zich enige tijd geleden op verzoek van de Colombiaan bij hen gevoegd. Hij kon zijn ogen niet afhouden van de dansende billen voor hem. Twee fantastische animeermeisjes, die dronken als tempeliers, completeerden het gezelschap.
June trok Malko naar de dansvloer en drukte zich fluisterend tegen hem aan: 'Ik geloof dat Baruch je wel mag... Ik trouwens ook. Je bent een goede onderzoeker.'
Naarmate de avond vorderde, werden de bezoekers losser. Stelletjes dansten op de tafels en anderen zaten openlijk te vrijen.
Baruch Ribeiro keerde terug van een van zijn onderbrekingen en ging met een gesloten gezicht zitten. Hij riep over het kabaal in Malko's oor: 'Kom mee, we moeten buiten even iets bespreken.'

Hij knikte naar Eddie García en ze liepen gedrieën naar de donkere, maar vooral stille straat.
'Goed,' zei de Colombiaan, 'ik heb erover nagedacht. Ik doe mee. Maar als je me bedondert, zal Eddie ervan lusten. Dan plant ik twee kogels in zijn buik en twee in zijn hoofd. Begrepen, *amigo*?'
Ricochet Rabbit liet zich niet van de wijs brengen en zei slechts: 'Het is een eerlijke deal.'
'Goed,' vervolgde de Colombiaan. 'Ik heb al wat navraag gedaan. Carlos Barco is een week in Medellín geweest. Daar heeft hij veel rondgereisd en veel oude vrienden van het kartel en uit Cali ontmoet. Meer weet ik op het moment nog niet.'
'Dat is niet genoeg,' drong Malko aan.
'Er komt nog meer.'
'Goed. Nog iets. Kent u Dolores Zapata?'
De Colombiaan glimlachte sluw. 'Wie niet? Ze heeft met de halve stad geneukt. Waarom?'
'Handelt ze nog?'
Ribeiro schudde zijn hoofd. 'Niet sinds de dood van haar man. Of hooguit wat kruimels. Ze verraadt liever kleine smokkelaartjes aan haar vriend bij de DEA.'
Malko was meteen geïnteresseerd. 'Welke vriend?'
'Vincent Shedd, een special agent van de DEA in Miami. Ik geloof dat ze samen wat rotzooien. Zij verraadt de jongens en hij geeft haar geld.'
'Weet u dat zeker?'
Baruch Ribeiro keek Malko vol medelijden aan. 'Ik zei toch dat ik iedereen ken?'
'Ontmoeten ze elkaar nog steeds?'
'Dat weet ik niet. Dat moet u aan Vincent Shedd vragen. U kunt hem bij de DEA bellen. Goed, laten we weer naar binnen gaan. Over twee dagen krijgt u de informatie die u wilt hebben.'

Malko had hoofdpijn. Ze waren tot vier uur 's nachts in de discotheek gebleven en daarna had hij nog snel June tevredengesteld, voordat hij terug naar het Delano was gegaan. Toen kwam de zon al bijna op.
Toch had hij geen oog dicht kunnen doen. Dankzij Baruch

Ribeiro had hij het ontbrekende stukje van de puzzel gevonden. Dolores Zapata kon Sánchez Pastrana pas hebben vermoord nadat ze over zijn verraad had gehoord. Als ze een bron binnen het kantoor had, verklaarde dat alles. Malko besloot het er eens op te wagen.
Nadat hij had gedoucht en een stevig ontbijt had genoten, belde hij de centrale van de DEA en vroeg Vincent Shedd te spreken. Hij werd met zijn kantoor doorverbonden, waar een neutrale stem opnam: 'Met Mike Castellanon. Wat kan ik voor u doen?'
'Ik zoek Vincent Shedd.'
'Wie bent u?'
'Malko Linge. Ik werk met Kevin Crane aan de zaak-Pastrana.'
'Ah, oké. Vincent Shedd is in de stad. Vanmiddag is hij er weer. Kunt u mij uw naam en adres geven?'
'Natuurlijk. Laat u hem terugbellen. Het gaat over de zaak-Pastrana.'

Toen Vincent Shedd op zijn bureau een briefje vond met het bericht dat ene Malko Linge de zaak-Pastrana met hem wilde bespreken, voelde hij de grond onder zich wegzakken. Al wekenlang vreesde hij dit moment. Hij kende die Malko Linge niet, maar hoe was hij achter zijn naam gekomen? En vooral: wat wilde hij van hem? Meteen belde hij het hoofd van groep 9. Hij besloot open kaart te spelen en hij vroeg, zoals de regels voorschreven, toestemming om met Malko Linge te praten. Het antwoord liet niet lang op zich wachten.
'Geen sprake van,' zei zijn chef. 'We mogen niet meer met hem samenwerken. Ik geef u alleen toestemming hem terug te bellen om hem te zeggen dat u niet vrij bent met hem over deze zaak te praten.'
Vincent Shedd kon zijn chef wel zoenen. Gered door de bel. Toch voelde hij zich niet helemaal gerust: Malko Linge kon zich rechtstreeks tot zijn chef wenden en over zijn contacten met Dolores Zapata vertellen. Al was zelfs dat niet echt gevaarlijk. Niemand kon bewijzen dat hij haar had ontmoet en gewaarschuwd. In het ergste geval zou hij bekennen dat hij haar wel, eens ontmoette, waarna hij een berisping zou krijgen.
Toch bleef hem één vraag dwarszitten: waarom had die Malko

Linge hem gebeld? Dolores had beslist niets gezegd. Die zweeg als het graf. Dus er was iemand anders op de hoogte van zijn contacten. En dan werd het riskant...
Hoe meer hij erover nadacht, hoe meer hij zich afvroeg of hij de bevelen van zijn chef niet moest negeren en moest proberen meer van die Malko Linge te weten te komen. Hij stapte in zijn auto en reed naar de eerstvolgende telefooncel, waarvandaan hij het Delano belde.
'Meneer Linge?'
'Ja.'
'Met special agent Vincent Shedd,' zei hij. 'U hebt gevraagd of ik u wilde terugbellen.'
Malko had niet verwacht dat hij het zou doen en verborg zijn tevredenheid. 'Inderdaad. Ik wil onder vier ogen met u praten.'
'Waarover?'
'Over een vrouw die u kent. Misschien kunt u me helpen bij mijn onderzoek. Zou u, laten we zeggen over een uur, iets in het Delano kunnen komen drinken?'
Na een korte stilte antwoordde Vincent Shedd met een geforceerd luchtige stem: 'Over een uur in de lobby. Ik heb een paardenstaart en ik draag een slangenleren jack. Blond, 1 meter 85 lang.'

Vincent Shedd ging volkomen op in de fauna van het Delano, met zijn slangenleren jack, zijn paardenstaart, zijn bruine huid en oude spijkerbroek. Malko kwam overeind uit de enorme stoel en ging hem tegemoet. 'Ik heb u gebeld,' zei hij. 'Laten we op het terras iets gaan drinken.'
Toen de agent van de DEA achter een glas Defender met een heleboel ijs zat, stak Malko van wal: 'Ik doe een onderzoek voor de CIA. Ik heb Kevin Crane daarover gesproken. Het gaat om een mogelijk cocaïnetransport voor een terroristische groepering.'
Vincent Shedd reageerde verrast. 'Een terroristische groepering?' herhaalde hij. 'De Colombiaanse FARC?'
'Nee, Al Qaeda,' verbeterde Malko hem. 'Iemand zei dat u misschien een van de personen kent die hierbij betrokken is. Dolores Zapata. Klopt dat?'

'Wie heeft u dat verteld?'
De special agent van de DEA dwong zichzelf kalm te blijven. Malko voelde aan dat hij van zijn stuk was gebracht. Hij zag zijn kans en gaf met een kalme stem de doodsteek: 'Dat is onbelangrijk. Maar als het waar is, had u de mogelijkheid Dolores Zapata te waarschuwen dat uw kantoor in haar was geïnteresseerd. Met als gevolg dat er in het restaurant Wollenski vier mensen zijn vermoord. Ik weet niet of u het echt hebt gedaan, maar als het bekend wordt, denk ik dat u grote problemen kunt krijgen.'
Vincent Shedd zweeg, maar zijn adamsappel ging snel op en neer. Op een bijna fluisterende toon vroeg hij: 'Wat wilt u precies? Mij chanteren?'
'Zeker niet. Uw banden met die vrouw interesseren me niet. Het gaat mij om mijn onderzoek. Ik wil twee dingen van u. Om te beginnen wil ik dat u met geen woord met iemand over dit gesprek rept, en zeker niet met Dolores Zapata. Ik heb haar ontmoet en ze weet niet wie ik werkelijk ben. En verder wil ik dat u me in de toekomst bepaalde informatie geeft waar alleen de DEA over kan beschikken.'
Vincent Shedd keek hem verbaasd aan. 'U zei zo-even dat u met ons samenwerkt...'
'Dat dééd ik,' corrigeerde Malko. 'Niet iedereen in Washington is even blij met dit onderzoek. De DEA heeft van heel hoog bevel gekregen mij niet meer te helpen. Maar ik heb te zijner tijd waarschijnlijk informatie nodig. Wilt u mij die geven?'
'Als ik dat kan...' begon Vincent Shedd.
Malko onderbrak hem. 'Ik vraag u niets onmogelijks. Maar eerst een vraag: ik geloof dat u Dolores Zapata goed kent. Heeft ze ooit een Arabische prins gekend?'
De adamsappel van Vincent Shedd ging opnieuw als een gek op en neer, voordat hij zuchtend antwoordde: 'Ja, lang geleden.'
'Kent u hem?'
'Nee, ik werkte hier toen nog niet.'
Malko riep de ober en keek Vincent Shedd met een brede glimlach aan. 'Goed, geef me uw telefoonnummer. Wanneer ik u nodig heb, bel ik u vanuit een telefooncel om een afspraak te maken. Ik gebruik de naam Mike. In dat geval komt u een uur

later hierheen. Wanneer deze zaak achter de rug is, op welke manier dan ook, zal ik zelfs uw naam vergeten. En niemand zal ooit te weten komen dat we elkaar hebben gesproken.'
Vincent Shedd stond op, schudde slap Malko's hand en verdween, alsof de duivel hem op de hielen zat, het Delano in.
Als hij Dolores Zapata over dit gesprek zou vertellen, zou Malko's leven niet veel waard meer zijn.

De stem van Dolores Zapata trilde van opwinding. Hoewel ze alleen was en ze over haar 'geheime' telefoon sprak, praatte ze toch heel zacht. 'Hij is in Caracas aangekomen!'
Carlos Barco lag languit op een van de bedbanken van het Nikki Beach, met zijn hand op de buik van een slanke brunette die hij zojuist in zijn penthouse had genomen. Zijn hartslag schoot omhoog. 'Gaat hij er nog steeds mee door?'
'Meer dan ooit. Waarschuw Oscar maar. Mijn vriend zit in de presidentiële suite. Hij moet contact met hem opnemen.'
'Wanneer vertrekt hij uit Caracas?'
'Over een paar dagen. Hij moet wat officiële taken verrichten, maar de overdracht moet daarvóór plaatsvinden.'
'Ik bel Oscar,' beloofde Barco. 'En wij?'
'Dit weekend vertrekken we. Na ons tochtje op zee.'
'Wanneer zien we elkaar weer?'
'Vanavond, wanneer je dat wilt. In het Loews. Daar is het rustig en hebben ze goed vlees. Dan zetten we de puntjes op de i.'
Opgetogen verbrak hij de verbinding. Zijn onmogelijke droom werd werkelijkheid. Bovendien bleef hij op goede voet staan met de DEA, want deze cocaïne was niet voor de Verenigde Staten bestemd.
'Kom, laten we garnalen gaan eten, schatje,' zei hij tegen het meisje.

'Er vraagt iemand naar u bij de receptie,' zei een bediende van het Delano tegen Malko.
Hij zette zijn televisie uit en haastte zich naar de lift. Baruch Ribeiro beende heen en weer voor de balie van de receptie.
'Ik heb de gevraagde informatie voor u,' zei hij toen Malko naar hem toe kwam.

13

De Colombiaan leek erg zenuwachtig te zijn. Hij keek om zich heen alsof hij bang was met Malko te worden gezien. Hij trok hem aan zijn arm mee naar de zaal met de grote pilaren. Malko maakte zich los en zei slechts: 'Ik luister.'
Baruch Ribeiro liet zich op een bank zakken en zei zacht: 'Vergeet niet dat u ook nog iets moet doen...'
'Eerst moet ik controleren of uw informatie juist is,' antwoordde Malko. 'Dan moet ik uw verzoek doorgeven. Er wordt in Washington over besloten. Onze afspraak is duidelijk.'
'Als u me bedondert, zit uw vriend Eddie García met de gebakken peren,' zei de Colombiaan dreigend.
'Laten we geen tijd verdoen,' zei Malko droog. 'Wat bent u te weten gekomen?'
Baruch Ribeiro kwam nog dichterbij. 'Carlos Barco heeft in Medellín vijf ton cocaïne bij elkaar gebracht,' zei hij. 'Hij heeft het bij verschillende leveranciers in de regio gekocht.'
'En ze betaald?'
'Nee. Het werkt volgens een systeem van consignatie. Er wordt achteraf betaald, maar wel iets meer. Hij werkte vooral met dit systeem, en de mensen vertrouwen hem.'
'Waar ligt de coke? In Medellín?'
'Niet meer. Alles is in aardappelauto's naar Venezuela gebracht.'
'Venezuela is groot...'
'Caracas. Daar is iemand die de zending verder verstuurt, een assistent van Carlos Barco, Oscar Fuente. Op het moment bevindt hij zich in hotel Intercontinental in Caracas.'
Malko hing aan zijn lippen. De Fixer deed zijn reputatie eer aan. Eindelijk kreeg hij eens duidelijke informatie waar hij iets mee kon. 'Weet Carlos Barco niet dat u daarachter bent gekomen?'
Ribeiro keek hem met een meewarige blik aan. 'Als hij het zou weten, zou hij al met een motorzaag achter me aan zitten. En datzelfde geldt voor u.'

'Goed,' besloot Malko. 'U hebt uw deel van de afspraak vervuld. Ik zal me aan mijn deel houden.'
De Colombiaan priemde met een wijsvinger als een mes in zijn buik en zei zacht: 'Als ik binnen tien dagen geen goed nieuws heb gekregen, knal ik Eddie García's kop eraf.'
Zonder verder nog een woord te zeggen, beende hij naar de uitgang.
Malko liep naar de bar, aan de overkant van de zaal, en bestelde een wodka. Het eerste wat hij nu moest doen, was erachter komen of de Saoedische prins ook in Caracas was. Dan begon de zaak pas interessant voor hem te worden. Een paar dagen geleden zou dat nog eenvoudig zijn geweest, via de CIA of de DEA. Maar hij had nog een troef: Vincent Shedd, de special agent van de DEA, de geliefde van Dolores Zapata. Die zou hem aan die informatie kunnen helpen. En hij had een gegronde reden om Malko te helpen: Malko's stilzwijgen over zijn betrokkenheid bij de viervoudige moord in restaurant Wollenski.

Oscar Fuente, bijgenaamd 'El Flato', omdat hij zo mager was, klopte verlegen op de deur van de presidentiële suite in hotel Intercontinental in Caracas. De deur ging open en er stak een onsympathiek, Arabisch hoofd om de hoek. Zonder een woord te zeggen gaf de Colombiaanse smokkelaar hem een stukje papier en deed een stap achteruit, om aan te geven dat hij niet van plan was de deur te forceren.
Die ging dicht. Oscar Fuente wilde al terug naar beneden gaan, toen de deur door een andere man werd opengedaan. Hij was een oosters type van gemiddelde lengte, mollig, kaal, een klein snorretje en een alledaags gezicht. Maar in zijn pikzwarte ogen fonkelde een intelligente blik. 'Kom binnen,' zei hij in het Engels.
Aan de onderdanige houding van de bediende zag Oscar Fuente dat dit de baas was, de beroemde prins over wie Carlos Barco hem had verteld. In zijn hemdsmouwen was er weinig koninklijks aan hem. Hij gaf de Colombiaan een sleutelbos en zei met een kalme stem: 'Mahmoud gaat met u mee naar de garage van het hotel. Daar staat een vrachtwagen met honderdtwintig koffers met flessen mineraalwater. U kunt een vrachtwagen besturen?'

'Ja.'
'Goed. U gaat met Mahmoud in de vrachtwagen naar de plek waar de waar ligt. U haalt de flessen mineraalwater uit de koffers en stopt de waar erin. Dat zal wel wat tijd kosten. Wanneer het klaar is, rijdt u terug en zet u de vrachtwagen op dezelfde plaats terug in de garage van het hotel. Hij maakt deel uit van mijn gevolg en zal niet worden gecontroleerd wanneer we naar het vliegveld gaan. Begrepen?'
'Ja,' stamelde Oscar Fuente onder de indruk.
'Goed. Nog iets: zeg tegen onze vrienden dat ze hier over vier dagen moeten zijn. We vertrekken zondagochtend en ze reizen met ons mee. Kijk uit met de vrachtwagen, veroorzaak geen ongelukken.'
Hij knikte met zijn hoofd en Mahmoud zei in gebrekkig Spaans: '*Vamos*.'

Vincent Shedd kwam een uur na Malko's telefoontje het Delano binnen. Malko zat rustig op een bank tegenover de bar te wachten en stak meteen van wal. 'Ik wil een lijst van alle gasten die zich op dit moment in hotel Intercontinental in Caracas bevinden.'
De Amerikaan reageerde verbaasd. 'Zoekt u iemand in het bijzonder? Het is eenvoudiger wanneer u mij zijn naam geeft.'
'Ik doe het liever zo,' benadrukte Malko. 'Is dat mogelijk?'
Shedd aarzelde even en verzuchtte: 'Dat moet wel lukken. Ik heb een vriend op het kantoor in Caracas. Zodra ik meer weet, bel ik u op uw mobiel.'
Ze gingen uit elkaar zelfs zonder elkaar de hand te schudden.
Malko had een afspraak met Eddie García in La Carreta, een traditioneel restaurant aan de Calle Ocho.
Ricochet Rabbit zat er achter een mojito aan de bar. Hij zag eruit als een geslagen hond. 'Wat is er?' vroeg Malko.
'O, ik heb ruzie gehad met Carmencita. Ze wilde gaan dansen.'
'Straks kun je elke avond met haar gaan dansen. Dankzij jou ben ik een enorm stuk opgeschoten.'
Hij vertelde hem wat Baruch Ribeiro hem had verteld. Daar vrolijkte García meteen van op. 'Ik had je al gezegd dat de Fixer je verder zou kunnen helpen,' zei hij.

'Ik maak me wel ongerust over één ding,' vervolgde Malko. 'Ik kan me voorlopig nog niet houden aan de belofte die ik hem heb gedaan. En jij bent degene die hij dreigt te vermoorden, als ik me niet aan mijn woord hou...'
Eddie García grijnsde breeduit. 'Geen punt. Hij durft het toch niet te doen. Maar als we hem als informant willen houden, zullen we hem moeten geven wat hij hebben wil.'
'Ik zal mijn best doen,' beloofde Malko.
Hij vertelde hem verder over het verzoek dat hij aan Vincent Shedd had gedaan. Eddie García leek verrast. 'Waarom heb je hem niet gevraagd of Al-Khobar in Caracas is?' vroeg hij.
'Om te voorkomen dat ze me om de tuin leiden,' legde Malko uit. 'Als de lijst van het Intercontinental niets oplevert, kan ik het hem alsnog rechtstreeks vragen.'
'Slim,' gaf Ricochet Rabbit toe. 'Nu wordt het tijd om ons te ontspannen.'
De ober had zojuist geroosterd speenvarken met zwarte bonen voor hen neergezet.

Restaurant Loews was vrijwel leeg en het was er ijskoud. Dolores en Carlos Barco zaten in een ronde box voor acht personen en de boxen om hen heen waren leeg.
'Over drie dagen vertrekken we naar Caracas,' zei de Colombiaanse. 'Maar we moeten bepaalde voorzorgsmaatregelen treffen. Om te beginnen kunnen we er niet rechtstreeks vanuit Miami naartoe gaan.'
'We kunnen er ook niet met de boot heen gaan,' protesteerde Barco.
'Nee. Zaterdag maken we een tochtje met je Bertram, de *Witte Zwaan*. Waar ligt je boot?'
'In de jachthaven vlak voor mijn flat.'
'Goed. Dit is het programma: zaterdagochtend kom ik om tien uur naar je toe. Officieel om een dagje te gaan varen. Maar ik neem mijn paspoort mee. Ik laat mijn auto op je parkeerterrein staan. Je hebt twee plaatsen, nietwaar?'
'Inderdaad.'
Dolores glimlachte sluw. 'Ik kom niet alleen. Ik heb mijn "klant" voorgesteld zaterdag een tochtje te maken. We vertrek-

ken dus met ons drieën op je Bertram. Eerste stop: Virginia Key, om te zwemmen. En als we verder gaan, zijn we nog maar met ons tweeën. Richting Nassau, waar we op het vliegtuig naar Caracas stappen.'
Carlos legde zijn vork neer. 'Wil je hem doodschieten?'
Dolores schudde haar hoofd. 'Nee, hij krijgt een ongeluk. Een boot die een zwemmer niet heeft gezien... Dat gebeurt zo vaak.'
'En wie staat er achter het roer van die boot?' vroeg Carlos Barco koel.
'Jij,' antwoordde Dolores.
De Colombiaan schrok heftig. 'Ik!'
'Ja,' zei Dolores Zapata. 'Ik ga met hem zwemmen. Jij blijft aan boord van de Bertram. Ik zwem bij hem vandaan en dan hoef jij alleen maar over hem heen te varen. Door de schroeven wordt hij aan stukken gereten. Daarna varen we naar Nassau. Hoe lang is dat varen?'
Dolores dacht dat de Colombiaan haar naar de keel zou vliegen. Naar haar toe gebogen, beet hij haar toe: 'Weet je wat dat is? Moord met voorbedachten rade. In Florida bestaat de doodstraf nog. Op zee ben je nooit alleen. Vooral niet daar.'
'We gaan ergens zwemmen waar het rustig is. Ik wil wel met jou van plaats ruilen, maar ik kan die boot niet besturen en ik denk dat hij liever met mij gaat zwemmen dan met jou. Bovendien zullen ze zijn lichaam waarschijnlijk nooit terugvinden. Het wemelt er van de haaien.'
Carlos Barco schudde geschokt zijn hoofd. 'We kunnen er niet zomaar met ons tweeën vandoor gaan.'
Het gezicht van Dolores betrok. 'Nee,' zei ze met een vlijmscherpe stem. 'Die vent schaduwt me. Ik weet niet wie hij is. Ik wil geen risico nemen. Als je wilt, schieten we hem dood en gooien we hem gewoon overboord. Maar dan vinden ze zijn lichaam en zullen ze zien dat hij met kogels is vermoord. Dan gaat de politie vragen stellen.'
'En jij denkt dat de DEA, die die vent heeft gestuurd, geen vragen zal stellen wanneer hij is verdwenen? Bovendien doet hij zeker verslag van zijn doen en laten. Wanneer ik terug in Miami kom, staat de politie vast al voor mijn deur.'
'Dat denk ik niet. Ik haal hem op in het Delano. Hij weet niet

waarheen we gaan en met wie. Daarna ben ik er overal bij. Tegen de tijd dat de DEA in actie komt, zijn we rijk. Hoe lang varen is het naar Nassau?'
'Ongeveer zeven uur.'
'Goed. Als we daar zijn, stal je je Bertram in een jachthaven en stappen we op het vliegtuig. Ik heb een paspoort op mijn meisjesnaam. Kun je nog vóór zaterdag aan een paspoort komen dat niet op je eigen naam staat?'
'Dat denk ik wel,' gaf de Colombiaan met tegenzin toe.
'Mooi zo,' zei de vrouw triomfantelijk. 'Officieel gaan we naar de Bahama's. En dan ligt die schoft allang op de bodem van Biscayne Bay. En de volgende dag zijn we in Caracas.'
'En als hij gewapend is?'
'Toch niet als hij gaat zwemmen?'
'Dat is waar,' gaf Carlos Barco zonder veel enthousiasme toe. 'Maar we moeten hem wel geruststellen. Anders kan het goed mislopen, en er zijn al heel wat doden gevallen.'
Dolores grijnsde kwaadaardig. 'Ik kon niet weten dat die rat Pastrana me zou verraden. Ik vind dat we de schade toch nog beperkt hebben gehouden. Vraag om de rekening, ik moet morgen vroeg aan het werk. We zien elkaar zaterdag pas weer. Zorg dat je boot is volgetankt.'
Haar ogen fonkelden als sterren. In een poging haar enthousiasme op Carlos Barco over te brengen, pakte ze een servetje en begon erop te schrijven. 'Weet je hoeveel dat is, vijf ton coke voor 28.000 dollar per kilo?'
'Nee.'
'Honderdveertig miljoen van die rotdollars!'
'Min de kosten.'
'Natuurlijk. Het deel van onze vrienden. Maar netto blijft er zeker nog zo'n veertig miljoen dollar over. Zelfs als mijn vriend nog een deel opeist, is het meer dan genoeg.'
De getallen deden het hoofd van de Colombiaan tollen. Hij vergat er bijna het onaangename deel van de operatie door: de moord op de man die Dolores schaduwde.

Malko had zich net aangekleed, toen er een dikke envelop onder de deur van zijn kamer door werd geschoven. Een halfuur eer-

der had Vincent Shedd een kort bericht op zijn voicemail achtergelaten, waarin hij had gezegd dat hij de informatie had waarom hij had gevraagd.
Malko opende de envelop en zag dat er drie computeruitdraaien in zaten. Het was de lijst van de gasten van het Intercontinental in Caracas. Hij vouwde hem open en las snel de namen door. Op de tweede pagina vond hij wat hij zocht: Ryad Al-Khobar. Vertrek op de 26e.
Het was nu vrijdag de 24e. Hij had nog ruim achtenveertig uur om in actie te komen. Het werd tijd om Frank Capistrano te bellen. Eindelijk had hij een serieuze en controleerbare aanwijzing dat de Saoedische prins bij de smokkel van cocaïne betrokken was.
Dolores Zapata moest de connectie zijn. Zelf bevond ze zich nog in Miami en ze had hem zelfs voor de volgende dag op een boottochtje met een 'vriend' uitgenodigd.
Wie zou die vriend kunnen zijn?
Misschien was zij degene die de operatie vanuit Florida leidde. In dat geval zou het moeilijker worden om de Saoediër aan te klagen.
Op de eerste pagina van de lijst vond hij ook de naam Oscar Fuente, het mannetje van Carlos Barco. Die zou ook in Miami kunnen zijn, om niet rechtstreeks bij de operatie betrokken te raken.
Wat betreft Ryad Al-Khobar had Malko weinig keus. Het eenvoudigst zou het zijn de Venezolaanse autoriteiten te waarschuwen, maar de kans was groot dat die niets zouden doen. Ryad Al-Khobar was te belangrijk.
Hij moest dus meer details zien te krijgen over het verblijf en vooral over het vertrek van Ryad Al-Khobar. Met welk vliegtuig vertrok hij? Wat was zijn bestemming? Voor zulke informatie waren Ricochet Rabbit en Vincent Shedd niet geschikt. Hij dacht aan Reyes, de journalist van de *Nuevo Herald*. Die was gewend aan dit soort onderzoek en zijn vragen zouden geen aandacht trekken. Meteen belde hij Ricochet Rabbit. Malko legde hem zijn probleem uit: alles te weten komen over Ryad Al-Khobar in Caracas en vooral over zijn toekomstige reis.
'Ik zal Reyes bellen,' beloofde Ricochet Rabbit hem. 'Ik weet

dat hij journalisten in Caracas kent. Dat moet lukken. Ik hoop dat zijn telefoon aan staat.'
Een kwartier later belde de ex-politieagent terug. 'We zien Reyes over een uur in de Big Fish. Hij zei dat het hem wel zou lukken. Ik kan vandaag zelf niet te lang weg van kantoor.'

14

'Prins Ryad Al-Khobar brengt een officieel bezoek aan Venezuela,' zei Alberto Reyes. 'Ik heb een vriend bij de politieke desk van *El Diario* in Caracas gebeld. Hij bezoekt een bespreking over de prijs van een vat olie. Hij komt regelmatig in Caracas en hij is door president Chavez zelf uitgenodigd. Meestal logeert hij op de ambassade van Saoedi-Arabië, maar nu wilde hij in de presidentiële suite in het Intercontinental logeren. Op kosten van de Venezolaanse regering, natuurlijk.'
De journalist pauzeerde om een grote garnaal te pellen, waarna hij die in een scherpe, rode saus doopte. Malko had geen trek meer in zijn red snapper. Het leek wel of zijn hele hypothese in lucht opging. De kans was groot dat de Colombiaanse toch aan een cocaïnedeal werkte zonder dat haar Saoedische geliefde er iets mee te maken had. En zelfs als ze van zijn reis afwist, gebruikte ze hem misschien als dekmantel voor anderen. Er stopte een vrachtwagen naast het restaurant. Ze waren bijna de enige klanten. Alberto Reyes keek op zijn horloge. 'Wilt u nog meer weten?'
'Tot wanneer blijft hij?'
De journalist keek even in zijn opschrijfboekje. 'Zondag.'
'Hoe reist hij?'
'O, dat heb ik niet gevraagd. Maar daar kom ik gemakkelijk achter. Kan ik u straks terugbellen? Ik moet nu terug naar de krant.'
Hij nam een slok espresso en liet Malko alleen met Eddie García, die, zoals gewoonlijk, zijn bord snel had leeggegeten. Malko had geen trek meer. 'Ik vraag me af of we niet al van begin af aan het verkeerde spoor volgen,' zei hij. 'En of Dolores Zapata niet iedereen voor het lapje heeft gehouden.'
García nam een slok bier en zei met een hakkelende stem: 'Er zijn wel zes doden gevallen. Dat is een heleboel voor een nepverhaal.'
'Misschien wilde ze gewoon wraak nemen op Pastrana omdat hij haar aan de DEA had verraden,' vervolgde Malko.

Ricochet Rabbit knikte, maar hij was niet overtuigd. 'Dolores is een koelbloedig beest. Ze neemt niet zomaar wraak. Vooral niet omdat dat geld kost, en dat heeft ze niet. Nee, als ze mensen heeft laten ombrengen, heeft ze dat gedaan omdat ze vond dat dat noodzakelijk was voor haar eigen veiligheid.'
'Ik moet absoluut weten op welke manier Ryad Al-Khobar reist en waar hij vanuit Venezuela naartoe gaat,' hield Malko vol. 'Als hij rechtstreeks naar Saoedi-Arabië reist, stort mijn hele verhaal in. Ik wil ook weten of hij een lijnvlucht neemt. Want je laadt niet zomaar vijf ton cocaïne in een lijntoestel. Zelfs een vip niet.'
'Dat klopt,' zei de ex-agent. 'Ik denk dat Reyes je wel antwoord op je vragen zal kunnen geven. Ik moet nu terug naar kantoor. Verder nog iets?'
'Ja. Kun je varen?'
'Nee. Waarom?'
'Om als oppasser te fungeren,' legde Malko uit. Hij stelde Eddie García op de hoogte van dc uitnodiging voor een tochtje op zee de volgende dag. Glimlachend besloot hij met: 'Misschien zie ik spoken, maar ik heb graag een levensverzekering. Dolores Zapata heeft bewezen dat ze uiterst gevaarlijk is. In haar ogen ben ik toch slechts een potentiële klant van haar makelaarskantoor. Daarom verbaast deze uitnodiging me een beetje.'
'Wat wil je precies?'
'Dolores Zapata komt me in het Delano halen en brengt me naar de boot van haar vriend. Ik weet niet waar. We gaan naar Key Largo. Het mooist zou zijn wanneer je me van het Delano zou kunnen volgen en daarna ook op zee in een boot achter me aan komt.'
De enorme snijtanden van Ricochet Rabbit leken nog langer te worden. 'Dat is niet eenvoudig,' moest hij bekennen. 'Een boot vinden en iemand om hem te besturen lukt me nog wel. Maar als de boot die jij neemt ver weg ligt van de boot die ik heb gereserveerd, wordt dat een probleem. Weet je in elk geval hoe hij heet?'
'De *Witte Zwaan*. Een grote Bertram.'
'Goed, ik bel je vanavond. Morgenochtend sta ik klaar voor het Delano.'

Ryad Al-Khobar tastte kalm de kralen van zijn amberkleurige rozenkrans af. Hij zat onderuitgezakt in een bank in zijn presidentiële suite, waarvandaan hij een fantastisch uitzicht had over de hele stad. Hij nam een slok jus d'orange en dankte Allah dat Hij hem bij zijn missie had geholpen. Hij was zeer gelovig, dronk niet, rookte niet, at geen varkensvlees en bad vijf keer per dag, zoals in de koran staat. En hij had natuurlijk nog nooit een enkel grammetje coke gebruikt.
Zijn telefoon ging en toen hij het schermpje zag, nam hij op in het Spaans: 'Hallo, schatje, hoe gaat het ermee?'
De stem van Dolores Zapata deed hem altijd goed. Hoewel ze twintig jaar ouder was dan toen hij haar vroeger kende, was ze nog steeds heel aantrekkelijk en hij wilde haar graag weer in zijn bed hebben.
'Ik ben er overmorgen,' zei de Colombiaanse. 'Uit voorzorg maken we een kleine omweg.'
'Ik vertrek aan het begin van de middag,' legde Ryad Al-Khobar uit, 'maar zo nodig kan ik het een paar uur uitstellen. Kom rechtstreeks hiernaartoe. We vertrekken samen uit het hotel, dan word je niet gecontroleerd. Alles in orde?'
'Uitstekend,' antwoordde ze met een vriendelijke stem. 'Ik verlang ernaar je te zien.'
En ze verlangde er ook naar enkele miljoenen dollars op te strijken, maar dat sprak voor zich.
'Tot zondag dan,' besloot Ryad. 'We komen er maandagochtend aan, vanwege het tijdverschil. We slapen in het vliegtuig.'
Nadat hij had opgehangen, deed hij een kort gebed in de richting van Mekka, Allah dankend dat Hij hem op het idee had gebracht contact op te nemen met zijn vroegere maîtresse. Dankzij haar kon hij een heleboel geld voor de goede zaak verdienen.
Hij was er ook trots op dat hij was uitgekozen om deze uiterst geheime operatie te leiden. Een operatie die op het hoogste niveau binnen de Saoedische staat werd ondersteund door degenen die vonden dat de enige, gezonde weg voor de dynastie van Saoed de weg naar de oorspronkelijke reinheid van het wahabisme was. Maar dat was het best bewaarde geheim op het Arabische schiereiland. Niemand, absoluut niemand mocht het weten.
Het geld dat hij met dit transport verdiende, ging rechtstreeks

naar de jihad, naar de strijd tegen de ongelovigen, moge Allah hen vervloeken.

Malko lag aan de rand van het zwembad van het Delano, maar hij kon niet van de zon genieten. Hij werd verscheurd door twijfels en hij maakte zich ernstig ongerust. Het was vier uur toen Alberto Reyes terugbelde. De Colombiaan zei haastig: 'Mijn vrienden in Caracas hebben het uitgezocht. Er vertrekt geen enkel Saoedisch toestel van het vliegveld van Caracas. De prins moet dus een lijntoestel nemen. Er gaan geen rechtstreekse vluchten. Hij zal moeten overstappen in Madrid, Rome of Parijs. Mijn vriend had geen tijd om meer over de vluchten van zondag te weten te komen, maar dat kunt u hier ook doen.'
Malko bedankte hem teleurgesteld. Gelukkig had hij Frank Capistrano nog niet gewaarschuwd. Als Ryad Al-Khobar een lijnvlucht nam, zat hij er volkomen naast met zijn hypothese. Hij moest weer bijna zes uur wachten tot hij eindelijk goed nieuws kreeg.
'Ik heb voor morgen een boot gevonden,' zei Eddie García. 'Een Sunseeker van 42 voet. En een vriend van me kan hem besturen. Hij ligt in de jachthaven vlak bij Sunset Islands. Het probleem is dat we niet weten waar je vertrekt. In Biscayne Bay liggen honderden schepen voor anker voor de villa's die aan de oever van de lagune liggen.'
'Het doet er allemaal niet zo veel meer toe,' zei Malko. 'Ik denk dat ik al van begin af aan een vals spoor volg. Dolores Zapata is wel met een cocaïnesmokkel bezig, maar ik denk dat onze Saoedische prins er niets mee te maken heeft. En dan is het mijn probleem niet meer. Je kunt je boot afzeggen. We zien elkaar morgenavond wel bij het eten, als je tijd hebt.'
'Toch kom ik naar het Delano toe en zal ik proberen je te volgen,' drong Ricochet Rabbit aan. 'Nu alles toch al is georganiseerd, ben ik wel toe aan een uitje.'

'Hallo, Malko. Ben je in vorm?'
Dolores in elk geval wel! Met een stralende glimlach zat ze achter het stuur van haar SLK en ze zag er vreselijk sexy uit, in een wit topje dat haar borsten bijna geheel bloot liet en een uiterst

korte, panterkleurige short. De parkeerhulpen van het Delano, die toch wat gewend waren, bekeken haar vanuit hun ooghoeken. Malko ging naast haar zitten, zette zijn strandtas op de achterbank en vroeg: 'Waar gaan we heen?'
'Naar een vriend van me, aan de andere kant van Miami Beach. Aan Biscayne Bay. Zijn boot ligt voor anker in de jachthaven voor zijn flat aan Harbor Sunset Drive.'
Ze sloeg linksaf en reed naar het westen. Vanuit zijn ooghoek zag Malko Eddie García achter een taxi staan. Hij zat achter het stuur van een kleine, witte auto. Hij startte en kwam achter hen aan.
'Wie is die vriend van je?' vroeg Malko.
'Een Colombiaan. Carlos Barco. Hij woont in een heel mooi penthouse. We gaan naar hem toe en dan vertrekken we samen.'
Malko kon zich met moeite bedwingen. Een van de stukjes van de puzzel was zojuist op zijn plaats gevallen. Carlos Barco was de man wiens gangen de Fixer was nagegaan. De man die in Caracas tonnen cocaïne had verzameld. Toen Malko bleef zwijgen, vroeg Dolores: 'Ken je hem?'
'Nee.'
Dit bevestigde natuurlijk de band die tussen Barco en Zapata bestond, maar duidde nog niet op betrokkenheid van Al-Khobar. Toch was het een vreemd toeval. Malko was blij Ricochet Rabbit achter hem te zien. Het wapen dat Teresa Wilhem hem had geleend, lag nog in de kluis op zijn kamer. Het was zelfs niet in hem opgekomen het mee te nemen.
Tien minuten later kwamen ze aan bij twee enorme, identieke gebouwen van vijfentwintig verdiepingen hoog aan de rand van Biscayne Bay. Ze stopten voor de ingang van een parkeergarage. Dolores drukte de knop van een zendertje in, waarna een ijzeren hek knarsend open schoof en ze naar binnen reed. Ze ging drie verdiepingen omhoog en parkeerde naast een Mercedes Brabus. Eddie García zou hen vast niet tot hier hebben kunnen volgen.
Malko liep achter haar aan naar de lift. In de cabine keek ze hem glimlachend aan en even kwam ze naar hem toe en streek met haar buik langs de zijne. 'Ik ben blij dat je kon komen,' fluisterde ze met een uitnodigende blik.
Ze belde aan bij penthouse 25 A2 en de deur werd geopend door

een man type latino playboy. Hij had zijn haar naar achteren gekamd en er stond een stralende glimlach op zijn gezicht. Hij stak Malko zijn hand toe. 'Goedemorgen. Ik ban Carlos Barco. Ik neem u graag mee voor een tochtje op de *Witte Zwaan*.'
'Ben je alleen?' vroeg Dolores.
'Ja, mijn vriendin kon niet komen. Maar dat geeft niet.'
Het penthouse was zeer luxueus en Marokkaans ingericht. De enorme ramen van het terras keken uit op Biscayne Bay. De Colombiaan pakte een kleine reistas en ging hen voor de gang door. Ze namen de lift naar de begane grond. Het gebouw werd bewaakt als Fort Knox. Voor elke deur was een magneetpas nodig. Ook voor de lift. Ze kwamen uit in een jachthaven die tegen het gebouw aan lag. Aan de kade lag een grote motorkruiser te wachten, bewaakt door een blonde jongen.
'Aan boord,' zei Carlos. 'Ramón, heb je volgetankt? Is er champagne aan boord?'
Carlos Barco ging aan het roer staan en startte de motoren. Ramón gooide de trossen los en bleef op de kade achter, waarna ze langzaam naar de doorgang onder Venetian Causeway voeren, die Miami Beach met Miami verbond. Hier was de maximaal toegestane snelheid tien knopen, vanwege de zee-olifanten die in de lagune leefden. Een beschermde diersoort, die hier veel voorkwam. Ze waren heel kwetsbaar en volkomen ongevaarlijk.
Dolores en Malko waren op een bank naast Carlos Barco gaan zitten. Onopvallend probeerde Malko met zijn ogen een boot te vinden die misschien van Eddie García was, maar hij zag niets.
'Kom mee naar beneden, dan kleden we ons om,' stelde Dolores voor. 'Het is lekkerder in zwemkleding.'
Hij ging achter haar aan de cabine in, die ruim en luxueus was. Dolores zette haar tas neer en draaide zich met fonkelende ogen om. 'Het wordt een heerlijk weekend.'
Vurig wierp ze zich in Malko's armen en kuste hem innig. Ze drukte haar buik uitnodigend tegen de zijne. Malko bleef niet onbewogen onder deze tornado. Dolores fluisterde meteen: 'We hebben alle tijd, Carlos kan het roer niet in de steek laten.'
Langzaam trok ze haar topje uit, waaronder ze een zwarte beha droeg. Toen trok ze haar short omlaag en stond in beha en bijbe-

horende string voor hem. Malko voelde hoe haar vingers zich zacht om zijn penis klemden. 'Ik vrij graag op een boot,' fluisterde Dolores. 'Hier kijk ik al drie dagen naar uit.'

Zachtjes vloekend bekeek Eddie García de zee voor hem door zijn verrekijker. Het was allemaal verkeerd gegaan. Verborgen op de promenade langs de jachthaven had hij Malko op een 60-voets Bertram, de *Witte Zwaan*, zien vertrekken. Daarna was het misgegaan. Zijn vriend wachtte in een andere jachthaven op hem, anderhalve kilometer naar het zuiden, en het had hun bijna twintig minuten gekost om op zee te komen. Nu was er geen enkel ander schip meer op Biscayne Bay te zien. Ze waren eveneens onder de Venetian Causeway door gevaren, toen onder MacArthur Causeway en eindelijk de zee op. Ten zuiden van Miami Beach wemelde het van de eilanden: Fisher Island, Virginia Key, Key Biscayne en allerlei andere 'keys'. Daar voeren tientallen schepen op zee, die alle kanten op gingen.
'Waar gaan we heen?' vroeg Miguel, zijn stuurman.
'Hij zei dat ze naar Key Largo zouden gaan. Laten we Virginia Key proberen,' stelde Eddie García voor. 'Daar stoppen de mensen vaak om te zwemmen.'

Op haar knieën op de kooi in de voorste hut, haar handen om een koperen stang geklemd en haar billen in de lucht, slaakte Dolores Zapata elke keer wanneer Malko uit alle macht in haar stootte, een diepe zucht. Hij deed rustig aan. Hij had de Colombiaanse niet kunnen weerstaan, ondanks de gevaarlijke situatie.
'We hoeven ons nergens druk om te maken,' had ze uitgelegd.
'Carlos is gewoon een vriend. Hij weet heus wel dat we niet slapen, maar dat interesseert hem niet.'
Daarna had ze hem, geknield op het witte tapijt, in haar mond genomen. Ze had de naam van de vrouwen uit Cali meer dan waargemaakt. Hij had haar zelf overeind getrokken en op de kooi geduwd. De *Witte Zwaan* had vaart gemaakt. Met zijn handen om de volle heupen van Dolores geklemd, stootte Malko steeds feller in haar. Hij voelde het zaad in zijn lendenen opstijgen en zakte met een woeste kreet op de rug van de Colombiaanse in elkaar, overstemd door het ronken van de motoren.

Dolores maakte zich van hem los en zei slechts: 'In Key Largo, wanneer het donker is, mag je me op het dek nemen. Het was zo lekker, de eerste keer toen je me nam.'
Ze nam een douche en kwam even later terug in een zilverkleurige bikini. Malko volgde haar het dek op, na een zwembroek te hebben aangetrokken. Carlos Barco maakte een veelbetekenend gebaar naar hem.
De zon scheen en er stond een verkoelende bries. Dolores zei: 'Dadelijk stoppen we even om te zwemmen. Daarna gaan we eten.'
Malko besefte dat de zon erg fel was en hij ging naar beneden om zonnebrand te halen. Daar viel zijn blik op de tas van Dolores, die open stond. Hij zag er een paspoort in liggen. Dat verbaasde hem. Waarom zou ze een paspoort meenemen voor een tochtje op zee? Maar ja, sommige mensen nemen altijd álles mee. Toch was het gebruikelijke identiteitsbewijs in de Verenigde Staten een rijbewijs. Nieuwsgierig pakte hij het en sloeg het open. Het Colombiaanse document stond op naam van Dolores Magura. Hij noteerde het nummer. De *Witte Zwaan* minderde vaart en Carlos Barco wierp het anker uit. Ze bevonden zich op zo'n 2 kilometer van Virginia Key.
'Hier is het water heerlijk,' zei Carlos Barco. 'Laten we vóór het eten wat gaan zwemmen. Champagne?'
Hij zwaaide al met een fles Taittinger Comtes de Champagne, die hij uit de koelkast had gehaald.
'Straks,' zei Dolores, terwijl ze op de spiegelplank klom.
Ze dook meteen het water in en kwam enkele meters verderop boven. Ze gebaarde Malko ook te komen. Die keek Carlos Barco aan. 'Gaat u niet zwemmen?'
'Ik drink eerst wat,' zei de Colombiaan met een glas in zijn hand.
Malko nam eveneens een duik en zwom naar Dolores toe, die zich meteen tegen hem aan wreef. 'Het was zo-even heerlijk,' fluisterde ze.
Ze gaf hem een vluchtige kus en zei: 'Ik ga een paar baantjes trekken. Goed voor de lijn.'
Malko keek haar na toen ze met een beetje onhandige crawl wegzwom. Kalm ging hij achter haar aan. De zee om hen heen

was volkomen leeg. Even verderop sprongen drie dolfijnen boven het water uit. Het water was koel, de zon heet en Malko genoot. Hij vroeg zich af waar Eddie was. De Amerikaan had hem niet kunnen volgen, maar dat was nu onbelangrijk. Het was niet nodig geweest hem te waarschuwen. Dolores Zapata had gewoon zin in een ontspannen weekendje uit. Ze bevond zich nu zo'n 100 meter bij hem vandaan en zwom verder.
Kalm zwom hij naar haar toe en keek om naar de *Witte Zwaan*. Carlos Barco was op de stuurstoel gaan zitten. Plotseling hoorde Malko een ronkend geluid. De Colombiaan had de motoren gestart.
Vreemd, terwijl Dolores nog aan het zwemmen was. De *Witte Zwaan* maakte een bocht. Eerst dacht hij dat hij Dolores wilde gaan halen, maar de boot ging niet haar kant op. Hij kwam juist zíjn kant op, steeds sneller. Toen Malko de boeg met opspattend schuim recht op hem af zag komen, werd het hem plotseling duidelijk. Een uitje met zijn drieën, de verliefde houding van Dolores, het paspoort. Hij was in een dodelijke val gelopen. De schroeven van de *Witte Zwaan* zouden hem aan stukken hakken en daarna zou Carlos Dolores oppikken en met haar wegvaren.
Geen schip te zien. Hij stond er alleen voor, tegenover een monster van 60 voet, dat met een vaart van 30 knopen op hem af kwam.
De volmaakte misdaad.

15

Malko had nog nooit zo hard gezwommen. In volle vaart kliefden zijn armen door de oceaan en hij keek alleen zo nu en dan op om te zien hoe ver hij zich nog van Dolores Zapata bevond. Die was gestopt en hing stil in het water, tot ze begreep dat Malko haar als schild wilde gebruiken. Onhandig begon ze weer bij hem vandaan te crawlen.
Hij keek om: de boeg van de *Witte Zwaan* bevond zich 20 meter achter hem. Hij haalde diep adem, dook onder en zwom onder water schuin naar rechts omlaag, tot zijn longen op springen stonden. Toen dook hij op en hapte naar lucht. Hij zag dat het grote motorjacht een bocht maakte om opnieuw op hem af te komen. Gelukkig was hij niet erg wendbaar. Met de moed der wanhoop zwom Malko opnieuw achter Dolores aan. Hij was nog meer dan 100 meter bij haar vandaan. Gelukkig werd ze moe en zwom ze steeds minder snel. Met brandende longen zwom Malko zo hard hij kon. De *Witte Zwaan* kwam weer als een groot, wit monster op hem af. Nu dook hij bijna te laat onder en hij voelde de werveling van de schroeven slechts enkele centimeters boven zijn hoofd passeren. Toen hij bovenkwam, zag hij de achtersteven wegvaren. Misschien dacht Carlos Barco dat hij hem nu met zijn schroeven had vermalen. Gelukkig had hij de zon in zijn rug, maar zijn spieren begonnen het te begeven. Als hij kramp zou krijgen, was het afgelopen.
Met zijn ogen strak op het donkere haar van Dolores gericht, zwom hij als een robot verder. Dolores maakte onhandige zwembewegingen en kwam nauwelijks nog vooruit.
De *Witte Zwaan* maakte opnieuw een bocht. Nog 20 meter tot de Colombiaanse. Hij hoorde een stortvloed van Spaanse scheldwoorden. Het motorjacht kwam weer vol gas op hem af. Plotseling rees er een onplezierige gedachte in Malko op: had de Colombiaan Dolores nog wel nodig? Zo niet, dan zou hij hen net zo goed allebei kunnen overvaren. Maar ze was Malko's enige kans.
Acht meter, vijf, vier, twee... Verblind door het opspattende

water pakte hij op de tast Dolores bij haar haar. Het werd hoog tijd: de *Witte Zwaan* passeerde op drie meter afstand in een wolk van schuim.
Carlos Barco had Dolores dus toch nog nodig.
Haar bij haar haren vasthoudend, klemde Malko zijn benen om het middel van de jonge vrouw. Hysterisch schold ze hem in het Spaans uit en ze sloeg met haar handen in het water. De *Witte Zwaan* stopte iets verderop. Malko zag Carlos Barco op de spiegelplank staan, met in zijn rechterhand iets zwarts. Hij ging nu proberen hem neer te schieten. Gelukkig kon je op een boot niet goed richten...

Glibberig als een paling lukte het Dolores aan Malko te ontsnappen. Toen stortte ze zich met uitgestoken nagels op hem. Hij voelde de brandende striemen op zijn schouders en in zijn nek en ze miste maar net zijn ogen. Met haar door woede vertekende gezicht leek ze net een wilde boskat. Onderwater probeerde ze Malko tevergeefs met haar voeten te raken, terwijl ze hem boven water uitschold: '*Cabrón! Maricón! Lagarto!*'
Malko kon beter zwemmen dan zij. Het lukte hem om haar heen te zwemmen en hij klemde haar van achteren, met haar armen langs haar zij, vast. Woedend probeerde ze hem te schoppen en ze ging briesend tekeer. Ze leek in niets meer op het onderdanige vrouwtjeswezen aan boord van het schip. Malko probeerde door water te trappelen zo goed mogelijk zijn hoofd boven water te houden, maar het kostte veel moeite. Toen hun hoofden onderwater verdwenen, moest hij haar loslaten, om niet te verdrinken. Een meter bij elkaar vandaan kwamen ze boven. Dolores had veel water binnengekregen en ze braakte het, half verdronken, uit.
Plotseling zag Malko dat de *Witte Zwaan* langzaam achteruit naar hen toe kwam. Carlos Barco hing over de achtersteven en richtte zijn pistool. Hij schoot op Malko, maar hij miste hem met een meter. Plotseling had Dolores haar stem terug. 'Schiet hem dood! Schiet hem dood!' krijste ze.
Dat was gemakkelijker gezegd dan gedaan. De Colombiaan schoot nog twee keer, zonder succes. Gauw klemde Malko zich weer stevig aan Dolores vast, die steeds zwakker begon te wor-

den. Als het zo doorging, zouden ze samen verdrinken.
Er was geen sprake van dat hij weer aan boord van de *Witte Zwaan* zou gaan. Daar zou hij meteen worden omgebracht. En de kust van Virginia Key was 2 kilometer ver. Hij moest het hoofd van Dolores boven water houden. Wanneer zij verdronk, weerhield niets Carlos Barco er nog van hen te overvaren. En zelf raakte hij ook vermoeid. Hij kon kiezen tussen verdrinken, zich door de schroeven van de motorkruiser aan stukken laten malen of een kogel in zijn hoofd krijgen.
Het bloed klopte in zijn slapen. Hij tuurde de horizon af en door het zoute water heen dat in zijn ogen brandde, dacht hij een boot te zien die hun kant op kwam.
Hij begon uit alle macht te bidden.

Het gezicht van Eddie García was rood verbrand door de zon en hij had al een uur lang onophoudelijk door de verrekijker getuurd, terwijl zijn vriend Miguel het gebied tussen Key Biscayne en Virginia Key uitkamde.
Een voor een bekeek hij door zijn verrekijker elke boot. Sommige lagen stil om te eten of te zwemmen, andere voeren rond. Hij was nu al ruim een uur weg uit Miami Beach. Hij legde even de verrekijker opzij om het zweet en het zout uit zijn ogen te vegen. Toen ging hij verder en tuurde hij voor de duizendste keer de horizon af. Ver weg zag hij weer een wit stipje. Hij stelde de verrekijker scherp en plotseling ging zijn hart sneller kloppen: midden op zee lag een grote, witte motorkruiser voor anker. Hij draaide zich om: 'Miguel, vaar naar die witte boot, links voor ons.'
Zijn vriend duwde de gashendel naar voren. Eddie García verloor de boot niet meer uit het oog. Tien minuten later naderden ze hem van achteren en kon hij de vergulde letters op de witte achtersteven lezen. Hij slaakte een kreet van plezier. Ze hadden de *Witte Zwaan* gevonden. 'Langzamer!' schreeuwde hij.
Zodra ze stillagen, zocht hij de zee af en toen zag hij in zijn verrekijker twee hoofden vlak bij elkaar, niet ver van de boot. Een blond en een donker hoofd. Ze bewogen vrijwel niet. Malko en Dolores Zapata. Hij draaide zich om naar Miguel: 'Stoppen.'
Hij wilde deze knusse zwempartij niet verstoren. Zo te zien was

alles in orde. Hem restte niets anders meer dan gewoon de toerist uit te hangen.

Malko had de Sunseeker gezien, maar hij wist niet dat dat de boot van Eddie García was. Wanhopig zwaaide hij met zijn arm. Dolores reageerde niet meer, ze was half verdronken. Hij bleef zwaaien, terwijl Carlos Barco op een tiental meters afstand met zijn pistool in zijn hand toekeek. Malko had zijn aandacht zo op de andere boot gericht, dat hij niet zag dat Dolores zich plotseling als een slang omdraaide en hard in zijn linkerschouder beet. In een reflex schopte hij haar van zich af. Meteen begon de Colombiaanse uit alle macht naar de *Witte Zwaan* te zwemmen. Malko wilde al achter haar aan gaan, maar dan zou hij gevaarlijk dicht bij het pistool van Carlos Barco komen. Zo langzaam als Dolores zwom, zou het haar enkele minuten kosten om de *Witte Zwaan* te bereiken. Vanuit zijn ooghoek zag hij dat de Sunseeker was gestopt. Misschien was dat Eddie.
Zijn laatste krachten verzamelend, zwom hij in de richting van de Sunseeker, die ongeveer 200 meter bij hem vandaan lag. Hij hoopte maar dat Carlos Barco hem niet durfde te vermoorden waar getuigen bij waren. Zonder er verder over na te denken, hield hij zijn hoofd zo lang mogelijk onderwater, tot zijn longen bijna barstten. Even stopte hij om achterom te kijken. Carlos Barco was bezig Dolores uit het water te tillen.

Door zijn verrekijker had Eddie García de gebeurtenissen gevolgd, zonder te begrijpen wat er aan de hand was. Pas toen hij Malko met zijn armen zag zwaaien, begreep hij dat er iets mis was. Dolores Zapata was eindelijk aan boord van de *Witte Zwaan* getild. Die zou nu elk moment weg kunnen varen.
'Doorvaren!' riep Eddie García tegen zijn vriend Miguel.
Hij ging met zijn verrekijker op de voorplecht staan. Malko kwam hun kant op zwemmen. Hij zwaaide met zijn armen en Eddie García zwaaide terug. Binnen enkele minuten was hij bij hem. Toen zag hij dat de *Witte Zwaan* wegvoer, een bocht maakte en achter Malko aan ging. Omdat hij veel groter en sneller was dan zij, zou hij hem eerder bereiken.
'Holy shit!' gromde Eddie García. 'Hij wil hem overvaren.'

'Maak hem dood! Maak hem dood!' gilde Dolores Zapata telkens hysterisch. Ze zat onderuitgezakt in de kussens op het achterdek.
Lijkbleek, trillend van vermoeidheid, met natte haren en rode ogen, maar ze kookte van woede. Plotseling wees Carlos Barco in de verte voor hen. 'Kijk, er komt nog een boot op hem af. Zeker zijn vrienden van de DEA. We moeten hier weg.'
'Nee!' schreeuwde de Colombiaanse. 'Vaar over hem heen!'
Zonder iets te zeggen draaide Carlos Barco aan het stuurwiel en wendde de steven.
'Wat doe je?' gilde Dolores.
'Ik voorkom dat we iets doms doen,' zei Carlos Barco kalm. 'Wil je dan de kustwacht op je nek hebben?'
'Maak hem dood!' gilde Dolores weer in alle staten.
Toen Carlos Barco weg bleef varen, pakte ze het pistool dat op de bank lag en begon als een gek in de richting van Malko te schieten, zonder enige kans dat ze hem zou raken.
De Colombiaan had zijn GPS aangezet en voer weg in de richting van de Bahama's. Hij moest er vóór de avond zijn, zodat ze de volgende dag het vliegtuig naar Caracas zouden kunnen nemen.

Eddie García moest Malko letterlijk aan boord hijsen. Die trilde over zijn hele lichaam en kon nauwelijks een woord uitbrengen. Het duurde enkele minuten voordat hij weer normaal kon ademhalen. 'Je bent maar net op tijd,' fluisterde hij, terwijl hij nog zeewater uitbraakte. 'We moeten hen achterna.'
'Arriba!' riep Eddie García naar zijn vriend.
De Sunseeker schoot naar voren, maar de *Witte Zwaan* was nog maar een wit stipje in de leegte. Ze begrepen al gauw dat de ander minstens tien knopen sneller was dan zij.
'Laat maar,' zei Malko, die een handdoek om had geslagen. 'Laten we teruggaan. We wachten hen wel op.'
Het was duidelijk: Carlos en Dolores wilden hem opruimen om daarna te vertrekken. Voorgoed. Waarschijnlijk naar prins Al-Khobar in Caracas. Ze konden met hun snelle boot in een andere haven in Florida aanleggen en er waren vliegvelden genoeg. Al zijn spullen waren aan boord van de *Witte Zwaan* achtergebleven. Hij moest eerst terug naar het Delano.

'Ik moet eerst kleren halen in mijn hotel,' zei hij tegen Eddie García. 'Daarna zien we wel verder.'
Toen Malko een uur later in zwembroek en blootsvoets door de hal van het Delano liep, schonk niemand aandacht aan hem. Ze zagen dagelijks nog wel vreemdere dingen. Hij nam een douche, een slok wodka en ging terug naar beneden. Nu met de Glock onder zijn jasje achter zijn riem gestoken. De oorlog was verklaard.
'Laten we naar het huis van Carlos Barco gaan,' zei hij.

Het was acht uur 's avonds maar het was nog volop licht. Sinds drie uur hielden Eddie García en Malko de flat van Carlos Barco op Sunset Harbor Drive 1900 in de gaten, zonder dat ze binnen konden gaan. Alle ingangen waren met magnetische sloten afgesloten. Bij de receptie lieten ze niemand binnen.
Er was geen boot te zien: de twee vluchtelingen kwamen niet terug.
'Ik zou graag eens een blik in zijn huis willen werpen,' zei Malko.
Eddie slikte en verzuchtte: 'Ik heb wel een ideetje, maar we moeten er eerst zeker van zijn dat er niemand thuis is. Laten we dat beneden vragen.'
Ze meldden zich bij de receptie en vroegen naar Carlos Barco. De dienstdoende Cubaan belde lange tijd naar de flat, maar hing toen op. 'Meneer Barco is niet terug,' zei hij. 'Als u wilt wachten, kunt u in de lounge...'
'We gaan wel een stukje rijden,' antwoordde Eddie García.
Ze gingen naar buiten en de Amerikaan liep naar het zwembad, dat ook met een hek was afgesloten. Toen ze eromheen liepen, kwamen ze uit bij de achterkant van het gebouw, dat aan de jachthaven grensde. Eddie García wees naar enkele kabels die langs de gevel hingen en aan een gondel vastzaten die op de grond stond. 'Ze zijn aan het werk,' zei hij. 'Met die gondel worden de arbeiders langs de gevel naar boven gebracht. We kunnen ermee op de 25ste verdieping komen, bij het penthouse van Carlos Barco. Als we eenmaal op het terras zijn, hoeven we alleen maar een raam open te maken.'
Geen mens te zien. Ze liepen naar de gondel en klommen erin. Eddie García vond de elektrische bediening en met een lichte

schok begon het platform langzaam langs de gevel omhoog te bewegen. De paar bewoners die hen vanbinnen zagen, sloegen geen aandacht op hen. Malko keek omhoog en zag de 25ste verdieping naderen. Eddie García zette de gondel stil toen ze er waren en ze klommen over de reling van het terras. De grote schuifdeuren die toegang gaven tot het terras, waren dicht. Zonder te aarzelen, pakte Malko een zware, ijzeren stoel en gooide hem door een raam, dat meteen aan scherven ging. Een halve minuut later stonden ze in het penthouse. Eddie begon de grote woonkamer te doorzoeken, terwijl Malko in een gang naar rechts verdween. Hij kwam uit in een slaapkamer, vast die van de Colombiaan, met een enorm, plat televisiescherm. Op een verder leeg bureau stond een computer. In de laden was niets te vinden, maar toen hij omlaag keek, zag hij een verfrommeld geel stukje papier in een prullenbak liggen. Hij vouwde het open. Er stonden allerlei aantekeningen op, maar één was onderstreept: vlucht 328 viasa, vertrek nassau 8.45 uur, aankomst caracas 11.50 uur.
Meteen ging hij terug naar Eddie García.
'Ze zijn naar de Bahama's,' zei hij. 'En daarvandaan gaan ze naar Caracas. Waarschijnlijk morgen.'
'Wil je hen achterna gaan?'
'Misschien,' zei Malko.
Hij ging achter de computer van Carlos Barco zitten en zocht op internet naar een vlucht Miami-Caracas. Dat zag er weinig hoopvol uit. De eerste vlucht op zondag van Miami naar Caracas vertrok pas om 12.32 uur. Omdat hij wist dat Ryad Al-Khobar de volgende dag uit Venezuela vertrok, begreep hij dat hij te laat zou komen. Bovendien, wat kon hij zonder officieel mandaat uithalen tegen een gast van president Chávez? Toch was dit stukje papier het laatste stukje in de puzzel. Dolores Zapata had niet tegen Sánchez Pastrana gelogen: ze ging inderdaad voor de grootste cocaïnesmokkel ooit naar prins Al-Khobar in Caracas toe. Malko wist genoeg.
Ze namen gewoon de lift naar beneden. Daarvoor was geen magneetkaart nodig.
'Wat doen we nu?' vroeg Eddie toen ze buiten stonden. 'Heb je me nog nodig?'

Malko zag dat hij zenuwachtig was. 'Je hebt vandaag mijn leven al gered,' zei hij. 'Dat is genoeg. De actie verplaatst zich nu naar Caracas. Ik zal kijken hoe ik me verder zal redden.'
Eddie zette Malko bij het Delano af. 'Hou me op de hoogte,' zei hij. 'Maar pas vanaf morgen. Vanavond ben ik helemaal voor Carmencita.'

Malko keek op zijn Breitling Aerospace. Het was tien over negen. Hij had nog maar een paar uur om zijn probleem op te lossen. Volgens de lijst van het Intercontinental in Caracas vertrok prins Ryad Al-Khobar de volgende dag uit Venezuela. De tijd was onbekend. Dolores Zapata en Carlos Barco zouden in de loop van de ochtend in Caracas aankomen. Ze zouden elkaar dus maar heel kort zien.
Malko was er nu van overtuigd dat de Saoediër betrokken was bij de cocaïnesmokkel. Hij moest absoluut weten wáár Ryad Al-Khobar naartoe ging. Want dat was de plek waar de cocaïne zou worden afgeleverd.
Om aan die informatie te komen, moest hij een officiële weg bewandelen, via de CIA of de DEA, en hun plaatselijke agenten het probleem voorleggen. Maar de zaak was hem uit handen genomen. Zijn troef, Vincent Shedd, kon hem niet zo snel helpen. Hij had nog maar één kans: Frank Capistrano ervan overtuigen dat hij hem in ere moest herstellen. Om deze tijd, op zaterdagavond, was hij niet meer in het Witte Huis, maar Malko had zijn mobiele nummer.
Nadat hij alles in gedachten op een rijtje had gezet, toetste Malko het nummer van de speciaal adviseur van het Witte Huis in en wachtte met kloppend hart af. Nadat de telefoon voor de tweede keer was overgegaan, nam Frank Capistrano op en zei met zijn schorre stem: 'Ja? Met wie spreek ik?'
'Met Malko.'
'Ah, Malko,' zei de Amerikaan met een vriendelijke stem. 'Waar ben je?'
'In Miami.'
Frank Capistrano leek verrast. 'Ben je nog steeds in Miami? Ik dacht dat die zaak waarbij een Saoedische prins betrokken zou zijn, was afgerond. Ik heb er een paar dagen geleden een notitie

van Langley over ontvangen, waarin stond dat het een ongegrond gerucht was. Dat heb ik aan de president doorgegeven, die er blij om was. Van begin af aan was hij ervan overtuigd dat het onzin was. Hij heeft zelf het kantoor verboden een onderzoek naar die prins Al-Khobar te doen. Zijn oom is kortgeleden nog ambassadeur van Saoedi-Arabië in Washington geweest.'

'Frank,' zei Malko, 'deze cocaïnesmokkel is geen gerucht. Het is waar en ik heb je hulp nodig.'

Franks lach klonk even schor als zijn stem. 'Meestal ben ík degene die jóúw hulp nodig heeft. Wat is er aan de hand?'

Malko legde hem alles uit, vanaf het telefoontje van MacLaughlin, waarin hem de zaak werd afgenomen, tot aan zijn meest recente ontdekkingen. Hij besloot met: 'Ik ben er nu zeker van dat het een cocaïnesmokkel is die wordt gebruikt om Al Qaeda te financieren. Dat kan ik nog niet bewijzen, maar als ik er niet achter kom waar Ryad Al-Khobar naartoe gaat, zal ik het misschien nooit kunnen bewijzen en zal de deal doorgaan, waarna Osama Bin Laden en zijn vrienden enkele tientallen miljoenen dollars zullen opstrijken.'

'Dat is een goed argument,' gaf Frank Capistrano toe. 'Wat moeten we volgens jou doen?'

'Het kantoor van de CIA in Caracas beschikt over de middelen om erachter te komen in welk toestel Ryad Al-Khobar uit Venezuela zal vertrekken.'

'Goed,' zei de speciaal adviseur. 'We zullen de officiële echelons eens kortsluiten. Ik bel MacLaughlin persoonlijk op en vraag hem om informatie, zonder te zeggen voor wie het bestemd is. Misschien denkt hij dat het voor de president is, maar dat is zijn probleem.'

'Wanneer kan ik je telefoontje verwachten?'

'Zodra ik meer weet. We zullen ze wakker moeten schudden. Maar voor mij zal MacLaughlin wel buigen.'

Malko sprong van het bed alsof hij een elektrische schok had gekregen. Het was vijf over halftwaalf en zijn telefoon ging over. Na zijn gesprek met Frank Capistrano was hij niet meer van zijn kamer gekomen. Hij was zelfs niet naar beneden gegaan om te eten.

'MacLaughlin heeft eindelijk eens goed werk geleverd,' zei Frank Capistrano. 'Heb je pen en papier?'
'Ja, ik luister.'
'Prins Al-Khobar heeft bij de controletoren van Caracas een vluchtplan voor zijn privétoestel ingeleverd. Een driemotorige Lockheed Tristar met een registratie in Bermuda, VPBNA. De vlucht gaat van Caracas naar Málaga, in Spanje. De vertrektijd is zondag om 14.00 uur, Venezolaanse tijd. Heb je daar wat aan?'
Daarom had Alberto Reyes dus geen Saoedisch toestel in Caracas gevonden. 'Dat is fantastisch,' zei Malko, en hij bedankte hem. 'Nog één vraag: geloof jij wel dat ik gelijk heb?'
Frank Capistrano lachte weer schor. 'Je hebt me nog nooit bedonderd. Waarom?'
'Ik kan wel wat hulp van de CIA in Spanje gebruiken. Ik stap in het eerste vliegtuig daar naartoe.'
Even hoorde hij alleen de zware ademhaling van de speciaal adviseur. Uiteindelijk zei die: 'Voorlopig kan ik MacLaughlin nog niet zo'n opdracht geven. Dat zou tegen de wens van de president in gaan. Maar als je me uit Spanje nog meer gegevens kunt sturen, werp ik me als een wraakengel op hem. Goed?'
'Goed,' besloot Malko. 'Ik bel je daarvandaan.'

16

Het konvooi was bijna 500 meter lang. Voorop reden twee motoragenten en twee politieauto's met zwaailicht. Daarna volgde een gepantserde Cherokee terreinwagen met donkere ramen en een half dozijn andere wagens, waarin het gevolg en de bagage van de gast van president Chávez zaten. Een andere politieauto sloot de rij. Ze hadden om twee uur het Intercontinental verlaten en het vertrek, dat op verzoek van prins Al-Khobar een uur was uitgesteld, zou nu om 15.00 uur zijn.
Ondanks het drukke verkeer kwam het konvooi met politiebegeleiding redelijk snel vooruit. Dolores Zapata, die net een uur geleden in het Intercontinental was aangekomen, keek geamuseerd naar de nieuwsgierigen die langs de weg stonden. De spanning was geweken en ze kon nu weer lachen. Carlos en zij waren net op tijd in de suite van Ryad Al-Khobar aangekomen. Natuurlijk hadden ze met geen woord gerept over de onaangename gebeurtenissen rond de mislukte executie van de agent die Dolores had geschaduwd. Ze wilde haar Saoedische handlanger niet ongerust maken. Die had de Colombiaanse hartelijk begroet en even had hij zich met haar in zijn slaapkamer afgezonderd. Daarna had hij haar meegenomen in de gepantserde terreinwagen die hij van president Chávez te leen had gekregen. Niemand van de Venezolaanse veiligheidsdienst durfde natuurlijk te vragen wie die knappe vrouw in een bloemetjesjurk was. Prins Al-Khobar had alle recht om zich te amuseren. Carlos Barco was opgenomen in het gevolg van de prins en zat bij zijn secretaris Mahmoud en twee assistenten in de auto. Nadat het konvooi de hekken van het vliegveld was gepasseerd, stopte het voor het grote, driemotorige toestel. Dolores schreeuwde het bijna uit van plezier.
Drie Venezolaanse hoogwaardigheidsbekleders wachtten prins Al-Khobar op om hem een goede reis te wensen. Hij begroette hen plechtig en liep toen de vliegtuigtrap op. Samen met Dolores nam hij plaats in de voorste salon, terwijl de andere passagiers achterin plaatsnamen. Carlos Barco drukte zijn neus

meteen tegen een raampje en hield de achterste laaddeur in de gaten. Toen hij zag dat de verladers de rode koffers vol met cocaïne een voor een inlaadden, onder de onverschillige blikken van de Venezolaanse soldaten die het toestel bewaakten, kon hij een vrolijke lach nauwelijks onderdrukken. Zelfs in zijn waanzinnigste dromen had hij zich zoiets niet durven voorstellen. Het deed hem denken aan zijn jonge jaren, toen hij trillend en zwetend met honderd gram drugs op zijn lichaam de douanes probeerde te passeren. Dit was grandioos, dankzij de machtige vriend van Dolores Zapata.
Ze neukte met de juiste personen, zei hij bij zichzelf.
De luiken sloten en de drie motoren begonnen te ronken. Er kwam een steward binnen met een blad met glazen champagne. Carlos Barco nam een glas Taittinger en liet zich onderuitzakken in de diepe stoel. De rest was slechts een formaliteit: ze moesten José María Portal opzoeken, de Spaanse contactpersoon van de Colombiaanse narco's. Hij zou op het vliegveld van Málaga staan om de cocaïne meteen in ontvangst te nemen, waarna hij het naar een villa zou brengen die voor deze gelegenheid was gehuurd. Daar zou hij meteen beginnen aan de verdeling onder de kopers die uit de vier hoeken van Europa waren gekomen. Dankzij het Schengenverdrag konden ze de drugs probleemloos over de Europese grenzen brengen.
Natuurlijk zou de man die ze tevergeefs hadden geprobeerd te doden, nog een probleem kunnen worden. Maar het zou diens woord tegen het zijne zijn.
Het brullen van de motoren zwol aan en hij werd in zijn stoel gedrukt toen het toestel de start inzette. De Tristar steeg steil op en al gauw bevonden ze zich boven de Caribische Zee. Ze vlogen naar het noordoosten. Een prachtige stewardess kwam binnen met een schaal met hapjes: zalm en kaviaar. Carlos Barco stond op en liep naar voren, waar Dolores en Ryad Al-Khobar in druk gesprek waren.
'Staat alles klaar?' vroeg de Saoediër.
'Onze vriend José María staat op het vliegveld te wachten. Hij zal de waar in ontvangst nemen. Waar slapen we trouwens?'
'Een vriend van me leent ons zijn huis in San Pedro de Alcantara, vlak bij Marbella,' antwoordde de Saoediër. 'Jullie zijn mijn

gasten. Maar de hele zaak moet binnen drie dagen zijn afgehandeld en betaald, want daarna reis ik door naar Riyad. En jullie?'
'Wij gaan terug naar Miami,' zeiden ze als één man.
'Goed. Laten we wat gaan rusten. Het is een lange vlucht.'
De Tristar had zijn kruishoogte bereikte en ze zagen niets anders dan blauwe lucht en blauwe zee. Dolores Zapata sloot haar ogen. Binnenkort zou ze rijk zijn. 'We gaan ons in Marbella toch wel een beetje amuseren?' vroeg ze.
Ryad Al-Khobar glimlachte welwillend.
Langzaam maar zeker dommelden de passagiers van de Tristar in. Carlos Barco wist dat het uitladen in Málaga net zo weinig problemen zou opleveren als het inladen in Caracas. Het waren de rijke Arabieren die Marbella groot hadden gemaakt en er waanzinnige bedragen hadden uitgegeven aan huizen, appartementen, juwelen en niet te vergeten in allerlei soorten winkels. Een Saoedische prins werd er met alle egards begroet die hem waardig waren. Vooral als hij een diplomatiek paspoort had, zoals prins Ryad Al-Khobar.

De Boeing 737 had zijn landing op het vliegveld van Málaga bijna afgerond. Malko, versuft door de lange reis, keek naar het landschap van kale heuvels en de betonnen bouwsels op elk stukje vlakke grond aan zee. De Costa del Sol was over 200 kilometer, vrijwel tot aan Gibraltar, een tapijt van beton. De Spanjaarden bouwden als gekken urbanisaties en legden golfterreinen aan. Je zag overal bouwkranen staan. Op de hellingen van de heuvels rondom de golfterreinen stonden witte huizen tegen elkaar aan geplakt. Hier en daar lagen lange stroken witte gebouwen langs de zee.
Gespannen keek Malko door het raampje naar buiten. Het vliegveld van Málaga was volkomen veranderd: er stond een reusachtig, modern luchthavengebouw, vol met passagiersslurven voor het in- en uitstappen. Het was er een komen en gaan van chartervluchten uit heel Europa.
Toen de Boeing 737 langs de geparkeerd staande vliegtuigen reed, begon zijn hart plotseling sneller te kloppen: iets opzij van het luchthavengebouw stond naast enkele privéjets een grote, driemotorige Lockheed Tristar. Op de zilverkleurige romp

stond geen naam, alleen de registratie, die Malko kon lezen toen de Tristar langsreed: VPBNA. Het was het toestel dat de vorige dag met prins Al-Khobar van Caracas was vertrokken. Volgens het vluchtschema moest het vier of vijf uur eerder zijn aangekomen.
Malko vroeg zich af of de CIA nu eindelijk zou willen ingrijpen. Vlak voor zijn vertrek uit Miami had Frank Capistrano hem nog met een mooie verrassing gebeld: het districtshoofd van Madrid, Nicolas Kolen, zou op hem staan wachten om hem eindelijk officieel van dienst te zijn.
Malko stapte als een van de eersten uit. Toen hij het luchthavengebouw binnenliep, kwamen er twee mannen op hem af. De grootste, in een linnen jasje, met das, kortgeknipt, grijs haar en felblauwe ogen, stak zijn hand uit. 'Nicolas Kolen. Dit is luitenant Arturo López van de Guardia Civil, een vriend van me.'
De agent had een snor en heel donkere ogen. Hij schudde Malko's hand, waarna de drie mannen, na snel de douane te zijn gepasseerd, naar de bagagehal liepen. Het vliegveld was gloednieuw en er waren tientallen bagagebanden voor de toeristen die uit de hele wereld kwamen. Malko had alleen een Vuitton kledinghoes bij zich en was snel klaar. De luitenant van de Guardia Civil nam bij de uitgang van het gebouw afscheid van hen.
'Ik breng u naar de Marbella Club,' zei Nicolas Kolen. 'Daar staat een huurauto voor u klaar.'
'Hebt u de Tristar gezien?' vroeg Malko.
De Amerikaan glimlachte. 'Ja. Hij is ongeveer om vier uur aangekomen. Gistermiddag heb ik Arturo, onze officiële *stringer* hier, gebeld om eens te gaan kijken.'
'Heeft hij iets interessants ontdekt?'
Terwijl ze naar het parkeerterrein tegenover het luchthavengebouw liepen, haalde Nicolas Kolen enkele papieren uit zijn zak. 'Kijk, ik heb alle persoonsgegevens van de inzittenden van de Tristar. Om te beginnen Ryad Al-Khobar-bin-Saoud, vergezeld door vier personen. Saoediërs, onder wie twee lijfwachten. Verder een vrouw, Dolores Magura, met een Colombiaans paspoort. Dat was de naam die u had doorgegeven. En nog een Colombiaan. Kent u hem?'
Malko bekeek het papier, terwijl de Amerikaan achter het stuur

van een Ford stapte. Miguel Botero, die naam zei hem niets. 'Dat moet vast Carlos Barco zijn die onder een valse naam reist,' concludeerde hij. 'Net als Dolores Zapata.'
'Ik heb de twee namen doorgegeven aan het kantoor in Bogotá,' zei de Amerikaan. 'De Colombiaanse autoriteiten kunnen ons misschien meer zeggen. De prins is op het vliegveld door twee mensen opgehaald: de consul van Saoedi-Arabië in Malaga en een Saoediër die in Marbella woont, Mansour Al-Albani. Arturo López kent hem wel. Er stonden op het vliegveld verscheidene auto's voor hem klaar. Ryad Al-Khobar en de twee Colombianen namen plaats in een Daimler Maybach met chauffeur. De anderen en de bagage zijn in drie witte auto's weggereden. Bij de bagage zaten dertien grote, rode koffers. Dat verbaast niemand: rijke Arabieren reizen altijd met bergen bagage.'
'In die koffers zit vast de cocaïne,' zei Malko.
'Mogelijk,' zei Nicolas Kolen voorzichtig. 'Maar zelfs als ik erbij zou zijn geweest, had ik niets kunnen doen. Prins Al-Khobar valt onder de diplomatieke onschendbaarheid. De Spanjaarden steken geen vinger uit als u geen exacte beschuldigingen hebt die door feiten worden ondersteund.'
Ze hadden het vliegveld achter zich gelaten en reden over de snelweg langs de Costa del Sol, die in plaats was gekomen van de oude, smalle en gevaarlijke weg. Het landschap was verrassend. Rechts lagen kale, okergele heuvels, links talloze nieuwe gebouwen, en nog verder de zee. Ze passeerden een bord waarop stond: COSTA DEL SOL COSTA DEL GOLF.
'Kunt u me zeggen waar ze heen zijn gegaan?' vroeg Malko ietwat verbitterd.
'Ja, daarvoor mag u Arturo López dankbaar zijn. De Saoediër die prins Al-Khobar is komen ophalen, is de huismeester van een prachtig complex van een Saoedische firma, Dar Es-Salam, op een van de heuvels boven San Pedro de Alcantara.'
'Kunnen we de toegang bewaken?'
'Moeilijk,' moest het districtshoofd van de CIA bekennen. 'Ik zal u erheen brengen. Dan kunt u het zelf zien.'
'Op wat voor hulp kan ik rekenen?' vroeg Malko. 'Zou ik mijn vaste "babysitters", Chris Jones en Milton Brabeck kunnen laten komen?'

'Voorlopig nog niet,' zei Nicolas Kolen verlegen. 'Officieel bemoeit het kantoor zich niet met deze zaak. Het is dat meneer Capistrano mij persoonlijk opdracht heeft gegeven u te helpen. En dan nog in beperkte mate.'
Langs de snelweg lagen moderne bouwsels, die zich als mierenhopen aaneenregen. Malko hield vol: 'En de DEA ook niet?'
Ze kwamen bij de tol. Nicolas Kolen haalde een vrachtwagen in en trok een vreemd gezicht. 'De DEA in Miami niet. Maar ik ken hun vertegenwoordiger in Spanje, John Die Marco. Als het moet, zal hij ons bij zijn Spaanse collega's aanbevelen.'
'Vijf ton cocaïne voor Al Qaeda, en het interesseert niemand iets,' zei Malko geschokt.
'Zo zien zij de zaak niet,' merkte Nicolas Kolen diplomatiek op. 'Ze weigeren te geloven dat Al-Khobar erbij betrokken is.'
Twintig minuten later, na om Marbella heen te zijn gereden, draaide de Amerikaan de oude kustweg op. Op de witte gevel van de Marbella Club stond nog steeds het wapen van prins Hohenloe, maar het gebouw was veel groter geworden en lag aan een park met kleine bungalows, dat tot aan de zee doorliep en vol met tropische planten stond. Voor de receptie, rechts van het hek, stonden verscheidene Rolls Royces. Malko schreef zich in en een bediende gaf hem de sleutels van een witte Polo, waarna hij hem naar bungalow nummer 7 bracht.
Nicolas Kolen wachtte achter het stuur van zijn auto. Toen Malko terugkwam, stelde hij voor: 'Rijdt u achter me aan.'
Ze reden in zuidelijke richting weg, langs Puerto Banus, de grote haven van Marbella, en 12 kilometer verderop sloeg Nicolas Kolen rechtsaf de 397 naar Ronda op. Na San Pedro te zijn gepasseerd, gingen ze de heuvels in. De weg steeg kronkelend tussen de urbanisaties door omhoog. Overal wemelde het van de bouwkranen. Na ongeveer 5 kilometer deed de Amerikaan zijn richtingaanwijzer aan en stopte in de berm.
'Laten we in mijn auto verder gaan,' stelde hij voor toen Malko naar hem toe was gelopen. 'Dat valt minder op.'
Een kilometer verderop remde hij af en wees naar een smeedijzeren hek dat een laan afsloot die de heuvels in leidde. Op een van de pilaren stond: DAR ES-SALAM. PRIVÉTERREIN. GEEN TOEGANG.

'Hier is het,' zei de Amerikaan. 'Een van de mooiste landgoederen van deze streek. Tweehonderd hectare op de top van een heuvel met een prachtig uitzicht tot aan Gibraltar. Er is een enorm zwembad, een tennisbaan, een dierentuin en er staat een reusachtig huis.'
'Is er nog een ingang?'
'Aan de zuidkant loopt een zandweg, maar die is nu moeilijk begaanbaar, omdat hij dwars door een bouwterrein loopt. Maar vanmorgen zijn ze hierdoor naar binnen gegaan.'
'Zou de cocaïne hierheen kunnen zijn gebracht?' vroeg Malko.
'Dat kan,' gaf het districtshoofd toe. 'Er was geen enkele bewaking.'
'Wat kunnen we doen?'
De Amerikaan glimlachte spottend. 'Behalve permanent een helikopter boven het landgoed te laten hangen, kunnen we ons alleen maar hier opstellen. Even verderop is een winkel voor woninginrichting met een parkeerterreintje waarvandaan we het komen en gaan in de gaten kunnen houden. Maar dat gaat u toch niet zelf doen?'
De Amerikaan leek echt verbaasd te zijn. Malko keek hem met een kille blik aan. 'Kunt u me dan iemand geven om het te doen?'
'Nee,' gaf de Amerikaan toe. 'Behalve Arturo López weet niemand dat u hier bent. En Ryad Al-Khobar hoeft maar één keer bij de lokale politie te klagen en u krijgt grote problemen. De eigenaar van Dar Es-Salam heeft 900 hectare verkocht aan projectontwikkelaars, die overal bouwen, wat San Pedro ten goede komt. Al-Khobar is onaantastbaar. Zeker zolang we niets concreets hebben om hem voor de rechter te brengen.'
Malko vroeg op de man af: 'Gelooft u er zelf ook niet in?'
Nicolas Kolen aarzelde en gaf toen toe: 'Niet helemaal. Het is te groot. Voorlopig is er niemand die kan bevestigen dat de cocaïne Spanje binnengebracht is. Een huiszoekingsbevel bij de Guardia Civil aanvragen is onmogelijk.'
'Goed,' besloot Malko. 'Ik stel me hier op. Dan zien we wel. Wat gaat u doen?'
'Ik ga terug naar Málaga, waar ik mijn contactpersonen eens af zal gaan. Ik geef u mijn mobiele nummer, geeft u mij het uwe.'

Ze wisselden hun nummers uit en Nicolas Kolen bracht Malko terug naar zijn auto.

Dolores Zapata lag languit langs het zwembad, in de brandende zon, en ze had haar lichaam ingesmeerd met zonnebrandcrème. Ze had geen oog voor het prachtige uitzicht over de Middellandse Zee. Het was helder weer en in de verte waren Gibraltar en de kust van Marokko te zien. Het personeel voorzag in haar kleinste wensen. Ryad Al-Khobar was meteen na aankomst naar zijn slaapkamer gegaan en was nog niet teruggekeerd.
Toch hing er een gespannen sfeer, ondanks de luxueuze omgeving, de zon en de blauwe hemel. Hun verblijf in Spanje was slecht begonnen. José María Portal, de Spaanse contactpersoon van de narco's, was niet op het vliegveld geweest! Het was de bedoeling dat hij het konvooi naar de residentie van Ryad Al-Khobar zou volgen en daarvandaan meteen met de cocaïne zou vertrekken.
Ze konden hem op het vliegveld van Málaga niet bereiken, dat zou verdacht zijn geweest. Ryad Al-Khobar was woedend en hij had heftig gereageerd, en zelfs gedreigd met de cocaïne naar Saoedi-Arabië te vertrekken. Carlos Barco wist niet hoe hij het had. Híj was verantwoordelijk voor dit gedeelte van de operatie. José María Portal was een serieuze crimineel, geen losbol. Er moest een ernstige reden voor zijn dat hij er niet was. Wat het nog erger maakte, was dat zijn telefoon op voicemail stond. En dat was een zeer slecht teken. Als hij om de een of andere reden was gearresteerd, kon dat zijn afwezigheid verklaren. In dat geval zaten de twee Colombianen met vijf ton cocaïne in hun maag en geen klanten. Want José María Portal was degene met de contacten. Carlos wist zelfs niet waar de villa was die hij had gehuurd, waar de cocaïne zou worden opgeslagen en waar de scheikundige van de organisatie was die de waar zou controleren.
De Colombiaan zat naast Dolores en belde koortsachtig om het kwartier hetzelfde nummer. Tussen zijn pogingen door probeerde hij zijn onrust met het ene glas Defender na het andere weg te drinken.
'Neemt hij nog steeds niet op?' vroeg Dolores ongerust.

'Dat zie je toch?' antwoordde Carlos kwaad.
Woedend gooide hij zijn telefoon op zijn handdoek en dook het zwembad in.
Toen de telefoon van Carlos een uur later overging, maakte hij letterlijk een sprong in de lucht. Hij pakte het toestel en zodra hij de stem van zijn contactpersoon hoorde, brulde hij: 'José María, waar ben je, klootzak?'
Dolores hoorde het antwoord niet, dat heel lang was, maar toen ze zag dat het gezicht van de Colombiaan zich ontspande, begreep ze dat er geen ramp was gebeurd. Toen hij had opgehangen, zei Carlos Barco opgelucht: 'Hij heeft een ongeluk gehad en zijn telefoon is stuk. Hij is zojuist aangekomen en hij wacht voor de moskee van koning Fahd op me.'
'Wil je dat ik meega?'
'Nee, wacht tot Ryad naar beneden komt en vertel hem het goede nieuws. Ik neem Mahmoud mee om me naar die rotmoskee te brengen.'

Suf door het gebrek aan slaap en de vermoeidheid, en vooral stervend van de dorst, vroeg Malko zich af hoe lang hij het zou volhouden. Hij keek op zijn horloge. Hij stond al bijna twee uur op het parkeerterrein. De airco loeide. Er was niemand het landgoed op of af gegaan.
Hij moest beslist iets drinken. Hij startte en reed weg in de richting van Ronda. Hij zag een bord langs de weg: MESÓN EL COTO 1 KM. Daar zou hij iets tegen de dorst kunnen vinden. Hij wilde net de bocht om gaan, toen hij in zijn achteruitkijkspiegel een witte auto met open dak uit de oprit van Dar Es-Salam zag komen.
Gelukkig was de weg verlaten en kon hij voorbij de bocht keren om achter de auto aan rijden. Na 2 kilometer had hij hem ingehaald. Het was een Mercedes SLK cabrio met twee mannen erin. Al gauw werd het verkeer drukker en kon Malko hen volgen zonder op te vallen.
Ze reden naar de zee en de SLK sloeg in Marbella rechtsaf de Avenida Luís-Braille in. Het nummer van de auto was er een van deze regio. Hij was te ver weg om de passagiers goed te kunnen zien. Ze passeerden Puerto Banus en reden verder over

de oude, tweebaans kustweg. Even voordat ze bij de Marbella Club waren, reden ze een afrit op die naar een brug over de weg leidde. Malko liet hen iets meer afstand nemen. Nadat hij de brug had gepasseerd, volgde de Mercedes een weg die schuin bij de hoofdweg vandaan leidde. Malko zag de minaret van een moskee voor zich opdoemen en enkele minuten later reden ze langs het vergulde hek van het eigendom van koning Fahd: het Witte Huis in het groot.
De SLK passeerde de moskee en stopte iets verderop op een parkeerterrein met een bord dat aangaf dat het een privéparkeerterrein van de moskee was.
Malko reed iets verder door en stopte bij een blauwe telefooncel, die langs de weg stond, waarvandaan hij het parkeerterrein kon zien.
Hij stapte uit en nam de hoorn van de haak. Hij deed of hij stond te telefoneren, terwijl hij de twee mannen met zijn ogen volgde. Die stapten uit de SLK en liepen naar een rode auto die onder de rietschermen stond geparkeerd. Er stapte een donkere, heel magere man uit, in donkere kleren, die naar de twee passagiers van de SLK liep en een van hen hartelijk omhelsde.
Eindelijk kon Malko zijn gezicht zien. Het was Carlos Barco.

17

Met bonkend hart hing Malko de telefoon op en liep naar zijn auto. De mannen stonden druk te praten. Toen liep de derde, een Arabisch type, weg naar het plein van de moskee. Enkele minuten later kwam hij terug. Weer werd er druk overlegd en de Arabier liep samen met de magere man naar de rode auto. Malko was iets verder doorgereden en gekeerd. Het kostte hem geen moeite de rode auto, een Nissan, te volgen.

Die nam de kustweg naar het zuiden, tot aan San Pedro, waar hij de weg naar Ronda in sloeg. Ze passeerden de ingang van het landgoed waarop Ryad Al-Khobar logeerde en reden verder in de richting van Ronda. Ze passeerden het restaurant El Coto. Al gauw maakten de urbanisaties plaats voor nog maagdelijke heuvels.

Nadat ze een restaurant met een terras langs de weg waren gepasseerd, sloeg de rode Nissan rechtsaf een privéweg in naar enkele huizen die wat verderop stonden. Malko kon dichtbij genoeg komen om het nummer van de auto te noteren: 2552 CTR. Hij reed verder, keerde en ging toen terug. Voor de weg die de rode auto in was gereden, stond een bord: LOME DEL PRADO. Het was een klein kavel met enkele villa's. Malko reed verder en belde Nicolas Kolen. Hij vertelde hem dat hij Carlos Barco had gezien en gaf hem het nummer van de Nissan.

'Ik zal meteen laten uitzoeken wie de eigenaar is,' zei de Amerikaan. 'Daarbij kan Arturo López me helpen.'

Gerustgesteld reed Malko terug naar de Marbella Club. Hij was hard toe aan een douche en een paar uur slaap. En vooral versterking. In zijn eentje kon hij niet veel doen. Terwijl hij naar San Pedro reed, kruiste hij een witte auto en achter het stuur herkende hij Carlos Barco! Hij wist niet of de Colombiaan hem ook had herkend.

Carlos Barco kwam opgewonden naar het zwembad toe. Dolores Zapata en Ryad Al-Khobar lagen, allebei in djellaba, aan de rand van het zwembad onder een immens afdak dat doorliep

tot aan de grote woonkamer. Ze lagen duidelijk te vrijen. Toen ze Carlos Barco zag, trok Dolores snel haar hand terug van de djellaba van de Saoediër, die een grote bult onder zijn kleding had.
'Ik ben zojuist die schoft van de DEA tegengekomen,' riep de Colombiaan uit.
'Heb je José María niet gezien?' vroeg Dolores verbaasd.
'Jawel. Maar toen ik terugreed, kruiste ik een auto die de andere kant op ging. Achter het stuur zat de vent die we voor ons vertrek probeerden te vermoorden. Ik ben omgekeerd en heb hem gevolgd. Hij reed naar de Marbella Club.'
Het gezicht van Dolores werd bleek. 'Weet je het zeker?'
'Natuurlijk! Hoe kon die schoft weten dat we hier zijn? Als de Spaanse politie zich ermee bemoeit...'
Hij baadde in het zweet. Ryad Al-Khobar luisterde geschokt toe. Dit was een onverwacht probleem. 'Over wie hebben jullie het?' vroeg hij.
Carlos Barco moest het hem nu wel uitleggen. De Saoediër liet zich niet uit het veld slaan en zei slechts: 'Jullie hadden het me moeten vertellen. Het was fout om dat niet te doen. Weten jullie hoelang hij er al is?'
'Nee.'
'Ik zal inlichtingen inwinnen. Mahmoud kent iedereen in de Marbella Club. Daarna komen we in actie.'
Wat betekende dat hij het gevaar uit de weg zou ruimen. Met een onzekere stem zei Dolores: 'We kennen hier geen betrouwbare mensen. Op José María na.'
'Ik wel,' zei Ryad Al-Khobar koel. 'Weet u hoe die man heet?'
'Hij heeft me een naam opgegeven,' zei Dolores. 'Malko Linge, Oostenrijker. Maar misschien is die vals.'
'Zodra Mahmoud terug is, zal hij het uitzoeken. En vertel nu wat je met je vriend José María hebt afgesproken.'
'Hij heeft voor een maand een villa iets verderop in de heuvels gehuurd. Op naam van zijn vriendin. Vier van zijn mannen zijn er al, plus onze scheikundige. Het is tien minuten hiervandaan en het ligt erg geïsoleerd. We kunnen de waar er vannacht heen brengen. De kopers komen morgen in de loop van de ochtend. Is uw bankier er al?'

'Hij is in de Marbella Club,' zei de Saoediër zonder een spier te vertrekken. 'Alles is dus in orde.'
Carlos Barco wist niet wat hij van dit domme optimisme moest denken. 'Vindt u? Die vent, die Malko Linge, is van de DEA, de CIA, wat dan ook. Hij zal de Spanjaarden waarschuwen.'
De Saoedische prins verloor zijn kalmte niet. Hij zei glimlachend: 'Ik heb enkele voorzorgsmaatregelen genomen. Geen enkele Amerikaanse federaal agent zal ons lastigvallen, althans voorlopig niet. Die man werkt waarschijnlijk alleen. We hoeven hem alleen maar uit de weg te ruimen.'
'Maar misschien heeft hij José María gevolgd,' protesteerde Carlos Barco. 'Toen ik hem tegenkwam, reed hij de andere kant op. Als hij de villa heeft gevonden...'
'Reden te meer om hem snel uit de weg te ruimen,' concludeerde de Saoediër. 'We hoeven niet lang te wachten. Trouwens, ik vertrek over drie dagen. Dan moet alles rond zijn. Mahmoud zal hier dadelijk wel zijn en ga nu gauw tegen José María zeggen dat hij op moet schieten.'
Carlos Barco maakte dat hij weg kwam. Zodra ze alleen waren, trok Ryad Al-Khobar Dolores naar zich toe en klemde zijn hand door de zijde van de met goud geborduurde djellaba heen om haar borst. 'Wees niet bang,' fluisterde hij in haar oor. 'Morgenochtend is die man geen probleem meer voor ons, *inch'Allah*. Maar nu wil ik me ontspannen.'
Hij glimlachte ondubbelzinnig. Dolores Zapata kende zijn voorkeuren en ze legde haar hand op zijn buik en streelde opnieuw het geslachtsdeel dat ze zo goed kende. Ryad Al-Khobar ging languit op de kussens liggen en sloot zijn ogen. Hij was in het paradijs. Nooit had hij een probleem gemaakt van seks. Het was het zout des levens, een van de geneugten die Allah toestond. De profeet Mohammed, Allah zegene zijn naam, hield van vrouwen en had er verscheidene.

Malko beende rond in zijn bungalow in de Marbella Club. Hij was er nu van overtuigd dat Ryad Al-Khobar, een Saoedische prins met een diplomatiek paspoort, inderdaad een lading cocaïne van Caracas naar Marbella had gebracht. En dat hij het pal onder de neus van de Spaanse autoriteiten aan de lokale

handelaren zou leveren. Waarschijnlijk aan de man in de rode auto, die hij had gevolgd.
Dat beide huizen, Dar Es-Salam en dat in Lome del Prado, zo ver van de bewoonde wereld lagen, was ideaal om de drugs te verdelen. Het geluid van zijn telefoon rukte hem uit zijn sombere overpeinzingen. Het was Nicolas Kolen. De Amerikaan klonk een stuk enthousiaster dan die ochtend.
'Ik denk dat u inderdaad gelijk hebt!' zei hij. 'De auto die u hebt gevolgd, is door ene José María Portal bij Avis gehuurd. Hij is een bekende Spaanse crimineel met een dik strafblad, waaronder drugssmokkel. Vandaag is hij hier aangekomen met een jonge, Madrileense vrouw en als lokaal adres heeft hij een huis aan de weg naar Ronda opgegeven, La Real, op het perceel Lome del Prado.'
'Wat gaat u nu doen?' vroeg Malko.
'Ik heb contact opgenomen met Langley om toestemming te krijgen de Spanjaarden te waarschuwen. En de DEA in Madrid.'
'Als u daar nou eens begint. Voordat het te laat is.'
De Amerikaan aarzelde lange tijd, maar zei toen: 'Goed, maar dan bewandel ik niet de officiële weg.'
'Uitstekend,' zei Malko. 'Ik ga weer naar het landgoed. Voorlopig kan ik niets anders doen.'
Hij verliet zijn bungalow en liep via de receptie naar zijn auto. Net toen hij wilde instappen, zag hij plotseling de rode auto die hij had gevolgd door het hek van de Marbella Club binnen komen rijden en achter de zijne stoppen. Er stapte een stelletje uit. De man was heel mager en moest José María Portal zijn. Hij was samen met een slank meisje, donker haar en heel vulgair gekleed in een luipaardkleurige jurk die ongelooflijk strak zat. Ze liepen naar de restaurant-bar die achter de receptie lag. Malko wachtte even en ging toen achter hen aan. Het stel was bij een man van ongeveer vijftig jaar oud aan tafel gaan zitten. Malko vond iets verderop een plaats. Hij had al geen zin meer om de ingang van het landgoed van Al-Khobar te schaduwen. Zijn tegenstanders kwamen zelf naar hem toe.

Mahmoud Zawawoui, de vertrouweling van prins Al-Khobar, begon aan zijn ronde door de Marbella Club. Een van de obers,

een Marokkaan, was een goede vriend van hem en leverde drugs en kaartjes voor de discotheken aan de bewoners van Dar Es-Salam.
De twee mannen ontmoetten elkaar achter de receptie in het park. Nog voordat hij iets zei, gaf Mahmoud Zawawoui de Marokkaan een dik pak euro's en bedankte hem voor bewezen diensten. Toen pas legde hij hem uit wat hij wilde.
Gerustgesteld liep hij terug naar zijn auto: zijn meester zou gauw alles te weten komen over de persoon die zich in hem interesseerde.
Vervolgens reed hij naar Puerto Banus, de mooie jachthaven waar de Arabieren hun jachten hadden liggen. Die voeren zelden uit: er was in de omgeving niets te zien, geen baaien, geen eilanden. Niets. Bovendien was het water ijskoud, zelfs in de zomer. De Saoediër reed naast het Park Plaza Hotel de duurste ondergrondse parkeergarage van Marbella in: vijf euro voor het eerste uur! Bij het hokje van de portier vroeg hij in het Arabisch: 'Is Ali er?'
'Achterin.'
Ali Al-Hayir was het hoofd van de parkeergarage. Hij was een Marokkaan die al lange tijd in Marbella woonde en hij verdiende naast zijn officiële werk flink wat bij met allerlei klusjes. Onder andere met het maken en verkopen van valse passen voor de haven. Hij was een kleine man met een kromme rug en een grijze snor, die nooit uitging en altijd in zijn flat in San Pedro of in de parkeergarage te vinden was. Veel was er niet over hem bekend.
Toen Mahmoud zijn kantoortje binnenging, legde Ali Al-Hayir zijn pen neer en omhelsde hem. De twee mannen kenden elkaar al heel lang. Wanneer Mahmoud zin had in een mooi, niet al te duur hoertje voor zichzelf, kon hij altijd bij hem terecht. En omdat Mahmoud de sleutels had van de schepen van verscheidene Saoediërs die nooit in Marbella kwamen, konden de twee mannen in het geheim gebruikmaken van de meest luxueuze jachten. Na de gebruikelijke begroetingen haalde Mahmoud een opgevouwen vel papier uit zijn zak, dat hij aan de Marokkaan gaf. 'Prins Al-Khobar-bin-Saoud stuurt je deze boodschap,' zei hij op gezwollen toon.

De Marokkaan vouwde het vel open, las het, vouwde het weer dicht en stak het in zijn zak. Meteen zei hij: 'Het komt voor elkaar, *inch' Allah*, als Hij het wil. Maar ik heb meer details nodig.'
'Die krijg je,' beloofde Mahmoud hem.

Malko wilde net een tweede wodka bestellen, toen de gasten aan de tafel die hij in de gaten hield, opstonden en naar de receptie liepen. De onbekende man vergezelde José María Portal en zijn vriendin naar hun auto en ging toen het gebouw van de receptie binnen. Malko volgde hem en zag hem met een bediende praten. Hij ging naar hen toe en hoorde de onbekende vragen: 'Kunt u om twee uur voor tien personen een tafel in de Olivia Valere reserveren?'
'Uitstekend, meneer Martínez,' zei de bediende. 'Komt voor elkaar. Bungalow 9, is het niet?'
'Klopt.'
De man liep door de tuin weg, zonder enige aandacht op Malko te slaan. Die volgde hem op enige afstand en zag hem zijn bungalow binnengaan. Enkele ogenblikken later kwam hij naar buiten met een jonge, donkere vrouw, en samen liepen ze naar het strand.
Een nieuw stukje van de puzzel.
Snel belde Malko Nicolas Kolen. Die had contact gehad met de DEA in Madrid. 'Ze sturen iemand,' zei hij. 'Een special agent van het kantoor in Madrid. Ze is er nog vóór de avond.'
Het was vijf uur, maar in Marbella at men nooit vóór elf uur. Dat gaf hem nog wat tijd.
'Ze?'
'Ja. Ze hebben een heleboel vrouwen in dienst om te infiltreren. Dat werkt gemakkelijker.'
'Ik heb ook nieuws,' zei Malko.
Hij gaf de naam Martínez door en de Amerikaan zou via zijn vriend bij de Guardia Civil kijken wat hij te weten kon komen.

18

'Bij de receptie wacht een dame op u,' zei de receptionist tegen Malko, die zich had teruggetrokken in zijn bungalow.
Hij liep tussen de weelderige, tropische vegetatie door naar de receptie. De Marbella Club was werkelijk prachtig aangelegd. Een blonde vrouw met kort haar zat haar kaartje in te vullen. Haar dunne jurk spande zich om haar billen, wat Malko meteen aan het dromen zette. De onbekende vrouw draaide zich om en Malko zag dat ze stevige borsten had en een aangenaam gezicht, al had ze een nogal platte neus. Maar haar mond was fantastisch. De onbekende vrouw kwam op Malko af. 'Hallo, ik ben Sabrina Powers. Ik kom net aan uit Madrid.'
Verbaasd nam hij haar uitgestoken hand aan. Deze pin-up van een jaar of veertig, met een lichaam dat zelfs een blinde aan het dromen zou zetten, kon toch niet de special agent van de DEA zijn... Alsof ze Malko's gedachten gelezen had, zei ze meteen: 'Ik geloof dat meneer Kolen u heeft doorgegeven dat ik zou komen.'
Ze was het inderdaad.
'Natuurlijk,' zei Malko. 'Ik zal u naar uw bungalow brengen. Welk nummer hebt u?'
'Nummer 10.'
Vlak bij die van hem.
'Ik ga eerst douchen,' zei ze met een vastberaden stem. 'U kunt beter in de bar wachten.'
Ze liep weg, gevolgd door een bediende die haar koffer droeg, en Malko nam plaats in de openluchtbar.
Twintig minuten later kwam Sabrina Powers terug. Malko hapte naar adem: ze had haar bloemetjesjurk verruild voor een strakke kokerjurk met panterprint die haar als een tweede huid omhulde, met een zijsplit tot bovenaan haar linker dijbeen. De Marokkaanse ober begon al te blozen.
De panterstof omspande haar fantastische borsten en een, op haar neus na, volmaakt lichaam. Bovendien had ze zich geparfumeerd. Toen ze Malko's bewonderende blikken zag, glim-

lachte ze en zei snel: 'Ik heb dit werk niet mijn leven lang gedaan. Toen ik zestien was, was ik Miss Florida. Gelukkig kon ik mijn rechtenstudie afmaken en later ben ik lid geworden van het kantoor.'
'Daar ziet u niet echt naar uit,' flapte Malko eruit.
'Zeker wel,' merkte ze op. 'Ik dien als lokaas om bij de Spaanse narco's te infiltreren. Ze zien me aan voor een zeer rijke, excentrieke Amerikaanse vrouw. Het kantoor betaalt een heel chic appartement voor me in Madrid en wanneer degenen op wie ik het heb gemunt me in deze kleding in een discotheek zien, denken ze hetzelfde als u: dat kan nooit een smeris zijn. En toch,' voegde ze er met een zweem van trots in haar stem aan toe, 'ben ik special agent Sabrina Powers.'
'Wat wilt u drinken?'
'Champagne.'
Hij koos van de kaart een fles Taittinger Comtes de Champagne Blanc de Blancs millésimé 1995 uit en vroeg glimlachend: 'Bent u gewapend?'
Ze schudde haar hoofd. 'Nee, dat staan ze in Spanje niet toe. Maar ik kan in geval van nood een nummer bij de Guardia Civil bellen. En dit is Amerika niet, de mensen zijn minder gewelddadig. Maar toch heb ik in Madrid een keer bijna zwavelzuur in mijn gezicht gegooid gekregen. Nou,' ze hief haar glas, 'op onze missie.'
Er ging een telefoon in haar tas over. Ze pakte hem, luisterde en zei kalm: 'Ze hebben de man geïdentificeerd die u met José María Portal hebt gezien. Het is een Spanjaard die zowel in Spanje als in Zwitserland woont, waar hij de leiding heeft over een bank. Juan Clemente Martínez. Hij is gespecialiseerd in grote narcotica-operaties. We zitten dus op het goede spoor.'
'Hij heeft voor twee uur vanmiddag een tafel bij Olivia Valere gereserveerd,' zei Malko.
'Doet u dat ook,' droeg ze hem op. 'Het zal er wel druk zijn.'
'Is dat alles?' vroeg Malko enigszins teleurgesteld.
Sabrina Powers nipte aan haar flûte Taittinger en keek Malko met een verontschuldigende glimlach aan. 'Nou, voorlopig proberen we alleen concrete informatie te verzamelen. We hebben geen bewijs dat de zending cocaïne zich op Spaanse bodem

bevindt. Het zijn alleen vermoedens. Dat Juan Clemente Martínez en José María Portal samen zijn, is natuurlijk verontrustend.'
'En prins Al-Khobar?'
'Die is voorlopig buiten ons bereik. Het is niet zeker dat de cocaïne zich aan boord van zijn vliegtuig bevond.'
Plotseling zweeg ze. Er kwam een stelletje binnen. Juan Clemente Martínez en een jonge, donkere, ietwat onopvallende vrouw. Ze liepen naar een tafel die aan de zijkant stond, waarop voor vier personen was gedekt.
'Ik denk dat we hier maar blijven eten,' stelde Malko voor.

Ryad Al-Khobar lag languit met Dolores Zapata op een luchtmatras en gaf instructies aan Mahmoud Zawawoui. Toen hij klaar was, keek hij de Colombiaanse aan. 'Zodra het helemaal donker is, neemt Mahmoud de leiding op zich van het transport van de waar. Dat kost hooguit een halfuur. Maar dan wordt het pas riskant. Hier hebben we niets te vrezen. Helaas kan het niet anders. Alle klanten moeten binnen achtenveertig uur zijn voorzien. Ik neem aan dat uw vriend José María alles heeft georganiseerd?'
'Dat klopt,' beaamde Dolores.
De Colombiaanse scheikundige, die naar het landgoed was gekomen, was de hele dag bezig geweest de cocaïne voor de verschillende klanten te verdelen en de kwaliteit ervan te controleren. In de door José María Portal gehuurde villa wachtte een half dozijn Spaanse, tot de tanden gewapende criminelen. De eerste klanten zouden zich de volgende ochtend melden.
Ryad Al-Khobar rekte zich uit. 'Ik stel voor dat we gaan eten in El Bandido, een goed Italiaans restaurant in de haven. Daarna kun je naar je vrienden in het Olivia Valere gaan.'
'Kom je niet mee?'
De Saoediër glimlachte. 'Nee, ik hou niet van nachtclubs en ook niet van technomuziek. En ik drink geen alcohol. Bovendien ga ik niet graag laat naar bed. Maar in gedachten ben ik bij je. Ik zal bidden dat onze operatie goed zal aflopen.'
Dolores was duidelijk zenuwachtig. 'Ik ga niet graag de stad in. En wat als die agent van de DEA of CIA me ziet?'

Ryad Al-Khobar kuste haar in haar nek. 'Schat, er is geen enkele kans dat hij je zal zien. Tenzij hij onsterfelijk is. Ik heb je toch gezegd dat ik het probleem heb opgelost.'

De pianist die midden in het restaurant op een podium zat, speelde futloos *Bésame mucho*, een oude smartlap uit de jaren vijftig. Het publiek in de Marbella Club was chic en de vrouwen in het algemeen knap. Intussen hadden José María Portal en zijn seksbom zich bij Juan Clemente Martínez gevoegd. De seksbom was gekleed in een bloedrode Alaya-japon en liep op hakken van 20 centimeter. Haar gezicht was fel opgemaakt.
Toen ze binnenkwamen, had José María Portal zijn blik door de zaal laten gaan en even had hij geaarzeld bij het blote dijbeen van Sabrina Powers.
Malko viel aan op zijn keiharde tiramisu. De lucht was heerlijk warm en de keuken verder redelijk. Als de special agent van de DEA niet zo'n aura van ondoordringbaarheid had gehad, die elke poging tot een flirt ontmoedigde, zou hij zich zelfs ontspannen hebben gevoeld. Maar in haar enigszins diepliggende ogen zat iets wat je verkilde. En toch, mijn god wat was ze sexy. Ze zat nu te roken en keek naar de pianist. Zuchtend zei ze: 'Het is hier erg oubollig.'
Ze had niet helemaal ongelijk. Malko was hier vaak met Alexandra geweest, in de tijd dat prins Alonso de Hohenloe, een goede vriend, probeerde Marbella, dat toen nog onbekend was in Europa, te propageren. Dat was hem boven verwachting gelukt.
Plotseling, na nog wat champagne voor de Amerikaanse te hebben ingeschonken, stelde hij de vraag die op zijn lippen brandde: 'Sabrina, waarom heb je voor dit beroep gekozen?'
De jonge vrouw drukte kalm haar sigaret uit en antwoordde met een licht verdraaide mond, wat aangaf dat ze zenuwachtig was: 'Ik wist dat u me die vraag zou stellen. Ik zal het u zeggen, maar daarna hebben we het er niet meer over. Mijn vader was verslaafd. Daarmee heeft hij zijn leven om zeep geholpen. Ik heb een vreselijke jeugd gehad. Hij heeft een keer mijn neus gebroken. Gelukkig zag ik er goed uit en kon ik het huis uit vluchten, maar voor mijn moeder was het een lijdensweg. Goed. Ik doe mijn bescheiden bijdrage en elke keer wanneer ik een smokke-

laar arresteer, zeg ik bij mezelf dat ik iemand als mijn vader red. Laten we nu gaan dansen.'
Ze stond op. *Bésame mucho* had plaatsgemaakt voor een vage salsa. Sabrina danste als een Zuid-Amerikaanse, met sensueel wiegende heupen. Ze drukte zich met heel haar lichaam tegen Malko aan. Al snel voelde hij zijn verlangen groeien. 'Ben je getrouwd geweest?' vroeg hij.
'Nooit,' zei ze. 'Ik ben eigenlijk bang voor mannen.'
Aan de manier waarop ze zich tegen hem aan drukte, was dat niet te merken. Plotseling boog ze zich naar Malko's oor: 'Let op, ze vertrekken.'

De auto's reden stapvoets over de kustweg naar het zuiden. De rode Nissan van José María Portal was niet moeilijk te volgen.
'Als ze naar Al-Khobar gaan,' zei Sabrina Powers opgewonden, 'wordt het pas echt interessant. Dan alarmeer ik onmiddellijk mijn Spaanse collega's. Dan is het duidelijk dat de Saoediërs zich met die smokkelaars inlaten.'
Helaas nam de Nissan 10 kilometer verderop de afrit naar Puerto Banus en gingen ze de ondergrondse parkeergarage van de haven binnen. Terwijl Malko de auto parkeerde, wachtte de Amerikaanse bij de ingang om de vier personen die ze volgden niet uit het oog te verliezen. Het kostte Malko enkele minuten om een plek te vinden. Toen hij naar boven liep, ging zijn telefoon.
'Ik sta tegenover de Salduba Pub, bij de toegang tot de haven.'
Puerto Banus, met winkels die tot laat in de avond open bleven, dure jachten langs de kaden en restaurants, was de favoriete plaats om te flaneren voor al het pluimage uit Marbella. Voor de Salduba Pub, met een klein terras, blokkeerde een menigte van meer dan honderd man de kade. Het waren voor het merendeel Britten met flessen bier in hun handen. Eindelijk zag Malko Sabrina, die iets naar opzij stond. Het was een kabaal van jewelste. Iedereen probeerde nog harder te praten dan de ander. Om de een of andere reden hadden de Britten bezit genomen van de Salduba Pub.
'Daar staan ze, net voor de pub,' riep de Amerikaanse naar Malko en ze wees naar de twee stellen die ze hadden achtervolgd.

De twee mannen hadden ook een fles bier in hun handen. Ze konden nauwelijks een kant op.
'Raar dat ze hierheen zijn gegaan,' zei Malko. 'Er zijn hier vrijwel geen Spanjaarden.'
'Misschien hebben ze met iemand afgesproken. Of ze wilden de haven zien. Ik denk niet dat ze lang zullen blijven.'
Ze konden niets anders doen dan afwachten. Er waren zo veel mensen, dat ze de zee zelfs niet konden zien. Malko sloeg zijn arm om Sabrina's middel, maar ze zei op vriendelijke, maar besliste toon: 'Nou moet u niet overdrijven.'

Mouloud Al-Haramein haatte rijke mensen, ongelovigen en met name Spanjaarden. Hij was seizoenarbeider geweest in het zuiden van Spanje, waar hij als een hond was behandeld. Zijn grootste droom was alle inwoners van Andalusië de keel af te snijden. Hij had onderdak gevonden bij Ali Al-Hayir, het hoofd van een parkeergarage, die hem te eten gaf en liet werken. Hem kon hij niets weigeren. Ook niet de opdracht die hij vanavond met plezier voor hem zou uitvoeren: een ongelovige vijand van de islam doden. Dat was weer een trapje dichter bij het paradijs.
Met zijn lange, scherpe dolk, die hij voor vrijwel alles gebruikte, onder zijn overhemd verborgen, baande hij zich een weg door de dichte menigte in de haven tegenover de Salduba Pub. Al gauw zag hij de man die ze hem een uur eerder hadden aangewezen. Hij stond met zijn rug naar hem toe en had zijn arm om het middel van een vrijwel naakt meisje geslagen! Zijn haat werd er nog groter door. Hij knoopte zijn hemd open, om zijn dolk gemakkelijker te kunnen pakken. Het was kinderlijk eenvoudig: hij hoefde maar achter zijn slachtoffer te gaan staan en hem de dolk ter hoogte van zijn lever in zijn rug te steken. Helemaal tot aan het heft.
Zich met zijn schouders een weg banend door de menigte, naderde hij de twee tot hij nog geen meter bij hen vandaan was. Kalm pakte hij het heft van de dolk en trok het met een snel gebaar onder zijn hemd vandaan. In de drukke menigte zag niemand wat hij deed. Hij bad in stilte tot Allah en vroeg Hem zijn arm te leiden. Hij ademde diep in en maakte zich op om toe te steken. Vlak boven de zwarte, leren riem van de ongelovige.

19

Op het moment dat Mouloud Al-Haramein zijn dolk in Malko's rug wilde steken, ontstond er een onenigheid tussen enkele mannen en werd een grote Brit met rood haar, die naast de Marokkaan stond, tegen hem aan geduwd. Daarbij viel zijn bier over het hemd van Mouloud Al-Haramein. Die slaakte een woeste kreet en hij rook de lucht van de alcohol en de onreine vloeistof die over hem heen stroomde. Beleefd legde de Brit zijn hand op zijn schouder en zei: 'O, jongen, het spijt me vr...'
Hij kreeg geen tijd om 'vreselijk' te zeggen. Met een woest en volkomen onverwacht gebaar stak de Marokkaan zijn mes in de buik en maakte een schuine beweging.
Zijn slachtoffer vouwde dubbel en slaakte een kreet die boven het kabaal uit klonk. Mouloud Al-Haramein liet de dolk los, die in de buik van de man stak, en vluchtte weg door de menigte. Hij kwam geen 2 meter ver en werd meteen vastgepakt door een reus die hem uit alle macht tegen de grond smeet. Direct werd de Marokkaan door de woedende omstanders geschopt en geslagen. De gewonde man lag in elkaar gerold op de grond en zijn vrienden stonden om hem heen.
Ze probeerden de moordenaar overeind te trekken, maar die gaf al geen teken van leven meer. Een Brit riep uit: 'Hij is verdomme dood. Kijk maar!'
Inderdaad verspreidde zich een grote plas bloed om het hoofd van de Marokkaan. Toen hij was gevallen, was zijn schedel gebarsten. Zijn ogen waren al troebel.
Met het slachtoffer ging het al niet veel beter. De mensen schreeuwden en de vrienden van de gewonde duwden de nieuwsgierigen weg om ruimte te scheppen rond de twee op de grond liggende lichamen.

Malko had zich met een ruk omgedraaid toen hij de kreet van pijn van de neergestoken Brit hoorde. Toen hij de Marokkaan op de grond zag liggen, zei hij meteen tegen Sabrina: 'Volgens mij had hij het op mij gemunt.'

Hij vroeg een van de Britten wat er was gebeurd. Toen hij het hoorde, twijfelde hij niet meer: God was hem vanavond goed gezind geweest. Een arts met een baard zat naast de gewonde gehurkt. Van een opgerold overhemd had hij een kussen onder het hoofd gemaakt, maar het gezicht was zo bleek... Dat voorspelde weinig goeds. De dolk stak nog steeds in zijn buik. In de verte klonk al de gillende sirene van een ambulance. Toen Malko het lichaam van de Marokkaan bekeek, zag hij plotseling een stukje papier naast hem op de grond liggen. Het leek of het uit zijn zak was gevallen. Omdat alle aandacht op de gewonde was gericht, kon Malko snel het papiertje pakken.
'Ze gaan weg,' zei Sabrina zacht.
José María Portal en Juan Clemente Martínez liepen samen met hun vrouwen naar de parkeergarage. 'We weten nu wat ze hier kwamen doen,' zei Malko. 'We hoeven ons niet te haasten. We vinden hen wel terug.'
Hij liep een eindje weg en vouwde het papier open dat hij bij de Marokkaan had opgeraapt. Het opschrift in gouden letters viel meteen op: VILLA DAR ES-SALAM. Eronder stonden enkele met de hand geschreven Arabische woorden. En een handtekening.
'Spreekt u Arabisch?' vroeg hij aan Sabrina.
'Nee. Waarom?'
'Om dit te vertalen. We moeten iemand vinden die we kunnen vertrouwen. En gauw ook. Bel uw contactpersoon bij de Guardia Civil.'
Sabrina pakte haar telefoon en na een kort gesprek zei ze tegen Malko: 'Hij kan zelf niet komen, maar hij stuurt een adjudant die Arabisch kan lezen, Juan Ramírez. Ik ken hem. We moeten hier op hem wachten.'
Geschokt verspreidden de Britten zich langzaam. Algauw was de straat voor de kroeg leeg, op het lichaam van de dode Marokkaan en de politie na, die getuigen ondervroeg.
Malko keek op zijn horloge. Het was even na middernacht. Ze hadden alle tijd om naar de discotheek Olivia Valere te gaan. Twintig minuten later kwam Sabrina Powers plotseling overeind en begroette een man in het uniform van de Guardia Civil, die ze aan Malko voorstelde. 'Dit is luitenant Juan Ramírez. Hij spreekt Arabisch.'

Malko gaf hem het papiertje dat hij naast het lichaam van de moordenaar had gevonden. 'Kunt u dit voor me vertalen?'
De Spaanse agent vertaalde het langzaam: 'In naam van Allah de almachtige en barmhartige, dood de ongelovige die onze broeder Ali je zal aanwijzen. Het is een gezworen vijand van ons heilige geloof, een christen die onze gemeenschap wil vernietigen." Het is getekend met "je broeder Ryad".'
Ze waren vrijwel de enige klanten op het terras van de Salduba Pub. De Spaanse agent keek verrast op. 'Waar hebt u dit briefje gevonden?'
'Het is uit de zak gevallen van de man die een uur geleden een Brit heeft neergestoken,' legde Malko uit. 'Ik heb redenen om aan te nemen dat hij het op mij had voorzien. Maar er gebeurde iets waardoor hij werd afgeleid.'
Hij vertelde hem over het bier dat over hem heen was gevallen.
De agent knikte. 'Het is een waanzinnige misdaad. Weet u wie die Ryad is, die het briefje heeft getekend?'
'De Saoedische prins Ryad Al-Khobar,' zei Malko. 'Hij logeert nu in de villa Dar Es-Salam.'
Het gezicht van de agent verstrakte. Vol ongeloof riep hij uit: 'Weet u dat zeker? Dat is een uiterst belangrijke man. Ryad is een veelvoorkomende voornaam bij Arabieren.'
Sabrina Powers legde het hem in het Spaans uit. Het gesprek duurde lang en uiteindelijk keek ze Malko aan. 'Hij zal de antiterrorisme-eenheid van de Guardia Civil waarschuwen. Ik breng Madrid op de hoogte, maar om deze tijd zullen ze weinig kunnen doen. Mijn collega's kunnen pas morgenochtend met het eerste vliegtuig komen. Ik zal proberen ze in te schakelen.'
'Al-Khobar heeft geprobeerd me te laten vermoorden,' zei Malko. 'Niet door een narco, maar door een islamitische terrorist, die de politie niet kende. Dat bevestigt mijn hypothese: die cocaïnesmokkel heeft met Al Qaeda te maken.'
Sabrina Powers leek niet geheel overtuigd te zijn. 'Hij kan een hem bekend netwerk hebben gebruikt om zijn zakenvrienden ten dienste te zijn. Misschien smokkelt hij om er zelf aan te verdienen. De mensen van de antiterrorisme-eenheid zijn goed en zullen het spoor van die moordenaar terug volgen. Morgenochtend gaan we aan de slag. Voorlopig kunnen we niets meer doen.'

'Jawel,' zei Malko. 'We gaan naar Olivia Valere. Kijken wat onze "vrienden" daar doen. Ik heb in elk geval geen slaap.'

Dolores zag er zeer sexy uit in een Leonard-japon van bedrukte zijde. Ze liep over het pad naar de discotheek Olivia Valere, nadat ze de enorme Maybach van Ryad Al-Khobar aan de parkeerhulp had gegeven. Er waren al heel wat mensen. Dat gold vooral voor de grote, open ruimten rondom de discotheek, waar kon worden gedronken. De Colombiaanse baande zich met Carlos Barco een weg door de drukte en zocht naar hun vrienden. Ze zagen hen in de vip-corner, een reeks boxen langs de vierkante dansvloer, waarboven camera's hingen die muziekclips projecteerden. De twee stellen lagen op brede, witte bedden aan een tafel die vol met flessen stond.
Om hen te verwelkomen, opende José María Portal een fles Taittinger Comtes de Champagne Blanc de Blancs en gaf Dolores een flûte. Hij moest schreeuwen om boven het lawaai van de muziek uit te komen: 'Alles is in orde!'
Hij schreeuwde in haar oren en legde uit wat er in de haven was gebeurd. Hij had zich uit voorzorg niet te dichtbij gewaagd, maar hij had de kreten gehoord en zag twee lichamen op de grond liggen. Ze konden gerust zijn. Het lood in de maag van de Colombiaanse loste meteen op en ze dronk haar flûte in één keer leeg. De ijskoude belletjes prikkelden aangenaam in haar keel.
Met een herleefde blik liet ze zich op het witte bed zakken. Alle cocaïne was overgebracht naar de villa die door José María Portal was gehuurd en de klanten zouden morgen komen. Ze zou enkele miljoenen dollars rijker uit Marbella vertrekken.

Sabrina Powers en Malko bleven nog even in de haven staan praten. Het lichaam van de moordenaar van de Brit was naar het lijkenhuis gebracht en het enige wat nog aan het drama herinnerde, was een bloedvlek op de kade voor de Salduba Pub.
Langzaam maar zeker kwamen de vaste klanten terug. Malko keek op zijn horloge: tien over twee. 'Laten we gaan,' stelde hij voor.
De jonge Amerikaanse stond op. Met haar panterkleurige jurk

met hoog doorlopende zijsplit, zag ze er werkelijk spectaculair uit. Niemand zou haar ware beroep kunnen vermoeden.

Dolores Zapata danste als een waanzinnige, in haar eentje, op de brede richel boven het podium. Drie glazen Taittinger hadden haar angst verjaagd. Toen zag ze een grote, blonde man met een vrouw in een strakke, panterkleurige jurk met een split tot aan haar kruis zich een weg door de menigte banen. Het was of ze een klap in haar buik kreeg en meteen stopte ze met dansen. Ze voelde de grond onder zich wegzakken. Dat was de man die een uur geleden zou zijn vermoord.
Snel sprong ze op de dansvloer en rende naar haar box, waar ze zich naast José María Portal op de bank liet zakken. Die kon met zijn handen niet van zijn seksbom afblijven. Ze rukte zijn hand tussen de dijen van het meisje vandaan en riep woedend:
'Hé, klootzak, je zei toch dat die vent dood was?'
'Natuurlijk.'
'Nou, hij is hier! Levend en wel. Kijk maar.'
Ze trilde van woede en angst. José María Portal zag het stel plaatsnemen op een bankje naast de dansvloer. Geen twijfel mogelijk, het was inderdaad de man door wie hij zich naar Puerto Banus had laten volgen. Carlos Barco keek ook als verlamd toe. Hij kon wel door de grond zakken.
'Ik begrijp het niet,' stamelde José María Portal. 'Ik heb hem dood op de grond zien liggen.'
'Dan moet je je ogen eens schoonmaken,' beet Dolores hem toe. 'Carlos, kom, we gaan weg. We moeten snel Ryad waarschuwen.'
Ze stond op, gevolgd door de Colombiaan. Dankzij de drukte konden ze verdwijnen zonder dat Juan Clemente Martínez, die stond te dansen, hen zag.

'Ik drink nooit alcohol,' protesteerde Sabrina Powers toen zij hoorde dat Malko een fles Taittinger Comtes de Champagne rosé bestelde. 'Daar word ik ziek van.'
'Vanavond is een bijzondere avond,' zei Malko. 'U had nu in het lijkenhuis naast mijn lichaam moeten staan.'
Hij had de twee stelletjes die hij uit de Marbella Club was

gevolgd, in hun box zien zitten. Alleen, terwijl hij had gehoord dat de bankier een tafel voor tien reserveerde. Er moesten er dus nog meer komen. Misschien wel Ryad Al-Khobar.
Twee minuten later liet een ober de kurk van de fles Taittinger knallen.
'Op het leven!'
Sabrina nipte aan de ijskoude champagne en leek het wel lekker te vinden. Malko maakte gebruik van haar goede humeur en trok haar mee naar de dansvloer. Het dreunen van de techno was oorverdovend, maar toen hij haar in zijn armen nam, liet ze zich tegen hem aan glijden. De andere stelletjes dansten daarentegen een meter bij elkaar vandaan. Na een tijdje keerden ze terug naar hun tafel, dronken weer wat en gingen weer dansen. Sabrina Powers leek steeds losser te worden, maar plotseling zakte haar enthousiasme in en mompelde ze: 'Ik voel me raar, laten we weggaan.'
Het was al na vier uur 's nachts. Dolores en Carlos waren allang vertrokken, maar het andere stel was er nog steeds. Het had geen zin langer te blijven. In de auto legde de Amerikaanse, zonder een woord te zeggen, haar hoofd op Malko's schouder. Hij zei niets, om haar niet af te schrikken. De sterren stonden aan de hemel, het was warm en hij leefde. Nadat hij de auto voor de receptie van de Marbella Club had geparkeerd, bracht hij haar naar haar bungalow. Nadat hij de deur voor haar had opengedaan, draaide ze zich naar hem om. 'Goedenacht.'
'Goedenacht,' zei hij, en hij naderde met zijn mond de hare.
Sabrina Powers wendde zich niet af. Een nachtkus was een oude, Amerikaanse traditie. Eerst was het een keurig nette kus, toen gingen de lippen van de Amerikaanse gehoorzaam vaneen en vonden hun tongen elkaar. Ze zoenden elkaar nu als geliefden. Malko voelde hoe Sabrina's lichaam trilde. Hij streelde haar prachtige borsten, zonder dat hij werd tegengehouden, en hierdoor aangemoedigd zei hij tegen zichzelf dat oorlogen alleen werden gewonnen door aan te vallen. Hij stak zijn hand in de split van de panterjurk en vond het slipje van de jonge Amerikaanse. Binnen een oogwenk liet hij het langs haar dijen omlaag zakken. Sabrina protesteerde slechts zwak, zich aan zijn nek vastklemmend, maar ze duwde hem niet weg. De gedachte

dat hij haar kon krijgen, prikkelde hem. Plotseling streelde hij haar over haar hele lichaam. Toen hij met zijn handen de welvingen van haar billen volgde, was het of hij een shot viagra kreeg. Voorzichtig pakte de jonge vrouw zijn hand en trok hem mee naar het bed, na de deur achter zich te hebben gesloten. Ze liet zich op haar rug zakken, kennelijk zonder te beseffen dat ze geen slipje meer droeg. In een oogwenk had Malko zich uitgekleed en ging met getrokken sabel, als het ware, op haar liggen, zonder haar jurk, die over haar gespreide dijen omhoog was geschoven, uit te trekken.

Het kostte hem geen moeite met één stoot diep in haar te dringen. Sabrina slaakte een zachte zucht en haar bekken kwam iets omhoog, om hem te helpen beter in haar te komen. Malko was tot het uiterste gespannen en bewoog niet meteen. Nu kon er niets meer misgaan. Sabrina lag stil, maar ze bood geen weerstand. Langzaam begon hij de liefde met haar te bedrijven. Met gesloten ogen liet ze zich gaan. Haar lichaam maakte enkele ongecontroleerde bewegingen. Al gauw voelde hij het zaad in zijn lendenen opstijgen en kwam hij met een primitieve kreet diep in haar klaar.

Ze hield haar ogen dicht. Lange tijd bleef hij zo liggen, tot hij aan haar regelmatige ademhaling zag dat ze in slaap was gevallen. Hij wist niet of dat was gebeurd vóór- of nádat hij was klaargekomen.

Ryad Al-Khobar had Dolores aangehoord zonder haar te onderbreken. Ze had hem de situatie uitgelegd. 's Nachts om halfvijf had ze samen met Carlos Barco op de deur van zijn appartement op de eerste verdieping van de villa gebonsd. Gelukkig lag hij niet te slapen maar had hij naar een erotische dvd liggen kijken. Hij begreep niet wat er was gebeurd. Mouloud Al-Haramein had iemand gedood, maar niet de juiste persoon. Dat was niet zo erg, maar de Spaanse politie zou via hem de opdrachtgever kunnen vinden. Na even te hebben nagedacht, zei hij tegen de twee Colombianen: 'We moeten het proces versnellen. Morgenochtend halen jullie meteen al het contante geld op. Ook al is het minder dan we hadden gehoopt. De operatie zal verder zonder ons plaatsvinden. Het is te gevaarlijk om nog langer in

Spanje te blijven. Ik stel jullie daarom voor samen met mij te vertrekken.'
'Waarheen?' vroegen ze als één man.
'Naar mijn land, waar ik jullie gastvrijheid bied. Jullie kunnen er zo lang blijven als jullie willen, veilig voor iedereen die achter jullie aan zit.'
Dolores en Carlos reageerden duidelijk niet enthousiast op zijn aanbod. De Saoediër hield vol: 'Wanneer jullie een lijnvlucht het land uit nemen, bestaat de kans dat jullie worden aangehouden. Maar ik dwing jullie nergens toe. Ga nu eerst slapen, het is laat.'
Ze namen afscheid. Carlos keek somber voor zich uit. Het was zo'n mooie operatie... 'Wat wil je doen?' vroeg hij aan Dolores. 'Heb jij zin om daarheen te gaan?'
Ze schudde met een kwaad gezicht haar kastanjebruine haar. 'Nee, ik wil die *maricón* vermoorden.'
Hij haalde zijn schouders op. 'Stel je niet aan. Hij doet gewoon zijn werk. Jammer dat we hem in Miami niet uit de weg hebben kunnen ruimen. Ik blijf bij José María. Vergeet niet dat het om een heleboel geld gaat. Daarna zien we wel verder. Hij kan ons vast wel helpen het land uit te komen.'
'Ik blijf hier,' zei Dolores koppig. 'Als Ryad het goedvindt. In dit huis zal niemand ons komen halen.'
Ze gingen terug naar hun kamers. Maar hoe veilig ze zich op dit enorme landgoed ook voelden, ze zouden toch ook eens naar buiten moeten komen.

Mahmoud had zijn mond niet opengedaan tijdens de woede-uitval van zijn meester. Hij wist wat hij fout had gedaan. Pistachenootjes knabbelend dacht prins Al-Khobar na. Hij had geen slaap meer en ook geen zin meer in pornofilms. Hij maakte zich natuurlijk geen zorgen om zichzelf. Zijn diplomatieke paspoort bood voldoende bescherming. Maar voordat hij terugging naar zijn land, moest hij twee dingen doen. Het geld geven aan degenen die erop wachtten en wraak nemen.
Mahmoud wachtte met gebogen hoofd af.
'Ik zal je straks, als het licht is, iets naar onze broeders laten brengen,' zei de Saoediër. 'Maar ze moeten slagen waar Mou-

loud gisteren heeft gefaald. Anders zullen ze het in het vervolg zonder mij moeten doen.'
'Ik zal het hun zeggen,' beloofde Mahmoud. 'Wanneer moet ik gaan?'
'Als ik het je zeg. Maak intussen mijn bagage klaar. We vertrekken morgen.'
Hij stond er zelfs niet bij stil dat het vijf uur 's nachts was. Mahmoud was er om hem te dienen en hij hield hem verantwoordelijk voor de mislukking van de vorige avond. Deze keer mocht hun tegenstander niet ontsnappen. Hij had er spijt van dat hij niet meteen krachtiger maatregelen had genomen dan een fanaticus met een dolk.

20

De grote zaal die de taskforce Al-Khobar in het gebouw van de Guardia Civil in Marbella ter beschikking was gesteld, had meer weg van een crypte. Toch keken de ramen uit op zee en scheen er al een warme zon naar binnen. Het had drie uur gekost om iedereen bij elkaar te krijgen: agenten van de Guardia Civil, vier special agents van de DEA uit Madrid, volgeladen met draagbare computers, leren tassen en dossiers, twee leden van de Spaanse drugsbestrijding, Sabrina Powers en Malko. Alleen de mannen van de antiterroristische eenheid ontbraken nog. Zij zaten vast in de file. Malko kookte inwendig. Het was al elf uur in de ochtend. Intussen zouden de Colombianen al druk bezig zijn de cocaïne aan hun klanten te verkopen. Malko gaapte discreet. Hij had te weinig slaap gehad. Sabrina Powers droeg een zonnebril, ze had haar haar strak naar achteren gebonden en ze droeg een broekpak met een tot aan haar hals dichtgeknoopte blouse. Malko was voor zonsopgang uit haar bungalow vertrokken en ze had niets gezegd toen ze elkaar bij het ontbijt troffen. Sinds het begin van de bijeenkomst hadden de mensen van de DEA en de Spaanse drugsbestrijding Malko bestookt met vragen en hem telkens opnieuw verslag laten doen van de gebeurtenissen.
'U blijft dus volhouden dat prins Ryad Al-Khobar en zijn Colombiaanse medeplichtigen een grote hoeveelheid cocaïne in het privévliegtuig van de prins het land in hebben gesmokkeld om het hier te verkopen aan een man die bekend is bij de Spaanse politie, José María Portal?' concludeerde een van de mannen van de DEA.
'Inderdaad,' antwoordde Malko. 'Hij heeft zijn intrek genomen in een huis in de buurt van het landgoed waarop prins Al-Khobar verblijft.'
'Waar zijn de drugs?'
Malko onderdrukte zijn ergernis. 'Hoe moet ik dat weten? Bij prins Al-Khobar thuis of in dat gehuurde huis. De enige manier om daarachter te komen, is er huiszoeking te doen.'
Op zijn opmerking volgde een ijzige stilte. Toen zei een van de

Spaanse drugsbestrijders: 'Om een bevel tot huiszoeking te krijgen, moet er een rechter worden ingeschakeld. Dan moeten we met concrete bewijzen komen. Voorlopig kunnen we niets anders doen dan de omgeving in de gaten houden en kijken wat er gebeurt.'
'Voorlopig doet u dus niets?'
'Nee. We zullen proberen eventueel verdachte voertuigen aan te houden, geholpen door de Guardia Civil.'
'En het landgoed van Al-Khobar?'
'Dat kunnen we moeilijk in de gaten houden. Het is te groot. En het is van iemand die zeer goede banden onderhoudt met de provinciale overheid.'
Plotseling kwamen er twee mannen binnen. Ze zagen er uitgeput uit. Ze stelden zich voor: kapitein José Roig en zijn adjudant, van wie Malko de naam niet verstond. Ze waren van de antiterroristische eenheid van de Guardia Civil. Ze verloren geen tijd en staken meteen van wal. 'We komen net uit het lijkenhuis,' zei kapitein Roig. 'De man die gisteravond een Brits staatsburger heeft neergestoken, is officieel geïdentificeerd. Het is Mouloud Al-Haramein, een Marokkaans staatsburger die illegaal in Spanje verbleef.'
'Weet u waar hij woont?'
'Nee, wel waar hij werkt. In de parkeergarage van de haven.'
'Is dat alles?'
'Nee. De Marokkaanse DST heeft ons laten weten dat hij betrokken was bij de aanslagen in Casablanca in 2002. Hij wordt in Marokko gezocht wegens betrokkenheid bij een terroristische groepering.'
'Al Qaeda?' vroeg Malko meteen.
'Laten we zeggen, gelieerd aan Al Qaeda,' verbeterde kapitein Roig hem. 'Volgens getuigen schijnt hij de Brit te hebben neergestoken omdat hij bier op zijn hemd had gemorst. Dat had dus niets weg van een terroristische daad.'
Malko vouwde het papiertje open dat hij bij de Marokkaan had gevonden en zorgvuldig had bewaard. Hij gaf het aan de twee agenten van de antiterroristische eenheid. 'Ik ben ervan overtuigd dat die man mij wilde doden,' zei hij. 'Kijk maar wat hij in zijn zak had. De vertaling zit erbij.'

De Spanjaarden bekeken het met 'Ryad' ondertekende papiertje vol verbazing. Ze voelden zich in verlegenheid gebracht. 'Hoe weet u dat het prins Al-Khobar is?' vroeg kapitein Roig. 'Kent u zijn handschrift?'
'Natuurlijk niet!' moest Malko toegeven. 'Maar het is wel een vreemd toeval. Ik zit achter hem aan vanwege die drugs, hier kom ik twee Colombianen tegen die in Miami hebben geprobeerd me te vermoorden en bij hém logeren, en gisteravond steekt een Marokkaan, die ik nog nooit heb gezien, iemand een meter bij me vandaan neer. Ik denk dat hij, normaal gesproken, in de drukte zou zijn gevlucht en dat niemand ooit de dader van de moord zou hebben gevonden.'
Toen ze zag hoe sceptisch de Spanjaarden reageerden, kwam Sabrina Powers met ingehouden stem tussenbeide: 'Meneer Linge is een van de beste veldagenten van de CIA. Hij is naar Miami gestuurd vanwege een drugssmokkel waarmee terroristen zouden worden gefinancierd. Ik vind dat u meer aandacht aan zijn beschuldigingen moet besteden. Ik geloof ook dat hij het doelwit was. Ik heb in de Marbella Club José María Portal samen met mensen gezien die bij prins Al-Khobar logeren. Het feit dat die Marokkaan in zijn land wegens terrorisme wordt gezocht, bevestigt zijn verhaal juist. Ik zou dus graag zien dat mijn Spaanse collega's hier in actie zouden komen, in elk geval om de cocaïnesmokkel te belemmeren.'
'Natuurlijk komen we in actie,' protesteerde het hoofd van de drugsbestrijding geërgerd. 'We stellen meteen enkele mensen ter plekke op. We moeten de villa waarin die smokkelaars zitten in de gaten houden en hun telefoon afluisteren.'
'Ze zullen wel mobiele telefoons gebruiken,' zei Malko. 'En via het huurcontract van de auto hebt u hun adres.'
'Natuurlijk,' gaf de Spanjaard toe. 'Maar we zullen ons best doen. Meer kan niet. U zei dat die twee Colombianen in Dar Es-Salam logeren?'
'Precies.'
'We zullen moeten wachten tot ze naar buiten komen. En wanneer u een aanklacht tegen hen indient, kunnen we ze oppakken.'
Malko reageerde maar niet meer. De persoon prins Ryad Al-Khobar blokkeerde alles. En hij had inderdaad geen bewijs.

Het was twaalf uur 's middags en de thermometer wees tegen de 35 graden aan. Dolores Zapata en Carlos Barco zaten in de schaduw. Ze durfden niet van het landgoed af te komen. Mahmoud was naar José María Portal vertrokken met als opdracht zo veel mogelijk geld te halen. Ze hoorden een auto en opgelucht zagen ze hem met een rode koffer in zijn hand aan komen lopen. Via een huistelefoon belde hij zijn meester en ging, zonder een woord te zeggen, bij de Colombianen zitten. Ryad Al-Khobar kwam enkele minuten later in zijn witte djellaba naar buiten. De twee mannen voerden een lang gesprek in het Arabisch. Toen wendde de Saoediër zich tot Dolores. 'Mahmoud zegt dat hij even verderop langs de weg naar Ronda verdachte voertuigen heeft gezien. Hij vraagt zich af of het andere huis niet wordt geschaduwd. Er staat zelfs een bestelauto met pech pal tegenover onze uitrit.'
Dolores trok bleek weg. 'Hij heeft de Spaanse politie gewaarschuwd,' stamelde ze.
'Hier loop je geen risico,' verzekerde de Saoediër haar. 'Als het fout dreigt te lopen, vertrekken we samen. Daar is nog tijd genoeg voor.'
Dolores Zapata beet op haar lip: vertrekken zonder haar geld? Geen sprake van. En dat geld lag hier een kilometer vandaan, bij José María Portal. 'Ik ga niet weg,' zei ze droog. 'En jij, Carlos?'
'Ik ook niet,' zei de Colombiaan met een grauw gezicht.
Hun mooie zaak werd een nachtmerrie. De Saoediër opende de koffer en de Colombianen zagen stapels bankbiljetten liggen. Er volgde opnieuw een lang overleg tussen Mahmoud en prins Al-Khobar. Ten slotte pakte Mahmoud de koffer en liep ermee weg. Enkele tellen later zagen ze zijn auto om het gazon heen rijden en de andere kant op wegrijden, bij de laan naar de ingang vandaan.
'Waar gaat hij heen?' vroeg Carlos Barco.
'Hij brengt het geld in veiligheid,' legde Ryad Al-Khobar uit. 'Hij rijdt achterom, over een heel slechte weg, maar die zal vast niet worden bewaakt. Niemand kent die weg, want eigenlijk is hij onbegaanbaar.'
Woedend ging Dolores Zapata het huis in. Plotseling zag ze in

een kleine salon een glazen wapenkast met geweren en karabijnen. Ze maakte de kast open en pakte een semi-automatische Beretta riotgun, een geducht wapen, met een doos met vijfentwintig patronen. Zonder iemand iets te zeggen, bracht ze alles naar haar kamer.

De blauwe Ford met een nummerbord uit Madrid reed kalm de bochten van de 397 naar Ronda door. Hij was net kilometerpaal 76 gepasseerd toen de chauffeur na een bocht een wegversperring zag die bestond uit twee auto's van de Guardia Civil. Een agent in uniform gebaarde hem te stoppen. 'Mag ik uw papieren zien?' vroeg hij beleefd.
De chauffeur, een man van een jaar of vijftig, met een pafferig gezicht, gaf ze hem. De agent nam ze mee naar zijn auto, waar hij een draagbare computer had. Enkele minuten later kwam hij onbewogen terug. 'Señor Mellon, u woont in Madrid?'
'Ja.'
'Waar gaat u nu naartoe?'
'Naar Ronda, naar vrienden.'
'Mooi. Wilt u uw kofferbak opendoen?'
Het gezicht van de Spanjaard trok bleek weg, maar de agent stelde hem gerust. 'Gewoon een routinecontrole. We zijn op onze hoede voor een terroristische aanslag van de ETA.'
Doodsbleek stapte de chauffeur uit en maakte de kofferbak open. Daarin stonden vier grote, kartonnen dozen.
'Wat zit daarin?' vroeg de agent.
'Persoonlijke spullen,' antwoordde Mellon schor.
'Kunt u er een openmaken?'
Het bleef lange tijd stil, maar toen deed de chauffeur met trillende handen wat hem werd gevraagd. In de dozen zaten plastic zakjes met een wit poeder. Toen hij opkeek, keek hij in de loop van een pistool.
'U staat onder arrest, señor Mellon,' zei de agent. 'Wegens bezit van cocaïne. U kunt ons beter zeggen waar het vandaan komt. Dat maakt het een stuk eenvoudiger voor u.'

Sabrina Powers dook bijna letterlijk op haar telefoon. Na een kort gesprek in het Spaans wendde ze zich tot Malko. 'Het is

zover! De Spaanse drugsbestrijding heeft op de weg naar Ronda iemand met vijftig kilo coke in zijn kofferbak aangehouden. Hij werd door een helikopter gevolgd. Over een uur wordt ons verzoek voor een huiszoekingsbevel van de villa van José María Portal behandeld. En iedereen die het huis uitkomt, wordt gevolgd.'
'En Al-Khobar?'
'Niets. Die is thuis. De autoriteiten weigeren hem lastig te vallen. Ze blijven volhouden dat er geen aanwijzingen zijn dat hij iets met de cocaïne te maken heeft.'
'En Dolores Zapata, die hier in zíjn vliegtuig heen is gekomen? En Carlos Barco, een beruchte drugssmokkelaar?'
'Hier kennen ze hem niet,' bracht de jonge vrouw daar tegenin. 'Laten we afwachten wat ze in het huis van Portal vinden. De Spaanse drugsbestrijding is intussen in alle staten.'
Malko keek op zijn horloge. Bijna één uur. Ze bevonden zich in de strandbar van de Marbella Club en de zee lag voor hen in de zon te fonkelen. Sabrina Powers kruiste Malko's blik, die op haar was gericht, en met een weifelende glimlach zei ze: 'Ik hoop dat je me gisteravond niet alleen dáárom hebt laten drinken...'
'Het was niet met voorbedachten rade,' bezwoer hij haar. 'Maar ik heb er heel aangename herinneringen aan. Je bent een prachtige vrouw, Sabrina, en dat weet je best.'
Verlegen sloeg ze haar ogen neer. 'Dank je wel. Dat is me al door een heleboel mannen gezegd. Misschien dat ik hen ooit met andere ogen zal bezien. Ik begin al te vergeten. Maar het duurt lang.'
'Wat?'
'Mijn vader. Vraag niet verder. Ik wil er niet over praten. Elke keer wanneer een man me in zijn armen neemt of met me wil vrijen, denk ik aan hem, en dat is vreselijk...'
Ze zwegen beiden. De afspraak was dat ze in de Club zouden blijven tot de drugsbestrijding een huiszoekingsbevel voor het huis van José María Portal had.
'Laten we gaan lunchen,' stelde Malko voor.
Ze gingen naar boven, naar het restaurant achter de receptie en namen een tafel in de schaduw. Ham 'pata negra', pasta met

schaaldieren en mineraalwater. Malko kon zich niet ontspannen. De kans bestond dat Ryad Al-Khobar tussen zijn vingers door zou glippen vanwege de terughoudendheid van de Spanjaarden. Die leken zich ook niet erg druk te maken over de Marokkaan, die waarschijnlijk door de Arabische prins op hem af was gestuurd om hem te vermoorden.

De telefoon van Sabrina ging. Haar gezicht klaarde meteen op en ze zei tegen Malko: 'Het is zover! Ze doen op het moment huiszoeking in de villa van Portal. Overal ligt cocaïne. We gaan ernaartoe.'

Malko liet zonder veel spijt zijn pasta met schaaldieren staan en ze liepen naar zijn auto, die voor de receptie stond geparkeerd. De sleutel lag erin. Net toen hij instapte, zag hij in zijn ooghoek een man onder de luifel van de ingang van de receptie, die snel wegdook, alsof hij niet wilde worden gezien.

Nieuwsgierig kwam Malko zijn auto uit en liep naar de luifel. Net op tijd om te zien dat een man met een helm op een motor startte, snel in de richting van Marbella wegreed en in het drukke verkeer verdween.

Malko keerde terug. Toch was hij er niet gerust op. Sabrina keek hem vragend aan. 'Wat is er?'

'Ik weet het niet,' zei Malko. 'Iemand hield ons in de gaten. Hij is gevlucht.'

Hij liep weer naar zijn auto, maar hij keek nog eens om voordat hij instapte. Zijn hartslag schoot meteen omhoog. Op het braakliggende terrein tegenover de Marbella Club, aan de andere kant van de weg, stond een motorrijder die de ingang van de Club in de gaten hield. Malko rende ernaartoe. Net toen hij het toegangshek uit rende, klonk er een oorverdovende explosie achter hem. Door de luchtdruk werd hij omver geblazen. Hij zag dat de motorrijder wegreed. Hij kroop overeind en draaide zich om: zijn auto stond in brand, de kofferbak was opengereten, het dak stond bol en alle ramen waren aan splinters. Sabrina Powers, die achter een pilaar van het afdak had gestaan, was alleen enkele meters door de luchtdruk weggeblazen. Ze lag tussen de struiken en probeerde al overeind te komen.

Mensen kwamen naar buiten en Malko rende naar Sabrina. Het

bloed stroomde over haar gezicht en ze was lijkbleek. Hij hielp haar overeind en samen met de bedienden van de club bracht hij haar naar binnen, waar ze op een bank ging liggen. Gelukkig leek ze niet ernstig gewond te zijn. Een stuk ijzer had haar op haar hoofd geraakt en het bloed stroomde uit een diepe snee tussen haar blonde haar.

'Señor, de politie is al gebeld,' zei de directeur van de club geschokt.

Een arts knielde al bij de jonge vrouw neer. Haar gezicht werd schoongemaakt en langzaam maar zeker kwam de jonge Amerikaanse bij zinnen. 'Wat is er gebeurd?' vroeg ze. 'Ik zag een rode lichtflits en ben gevallen.'

'Er zat een bom in de auto,' legde Malko uit. 'De motorrijder die ik zag, moet hem vanaf een afstand tot ontploffing hebben gebracht. Wanneer we in de auto zouden hebben gezeten, zouden we aan stukken zijn gereten.'

Van de auto was weinig over. Sabrina kwam met een van pijn vertrokken gezicht overeind. Met één hand drukte ze een dik verband op haar hoofd. 'We moeten een auto hebben' zei ze. 'Ik wil absoluut naar het huis van José María Portal.'

Ze was nog niet uitgepraat, of enkele agenten in uniform kwamen binnen. Gelukkig sprak Sabrina Powers vloeiend Spaans. Ze liet haar pas van de DEA zien en legde uit dat ze deel uitmaakte van een operatie en dat ze naar een huis aan de weg naar Ronda moest.

'Eerst gaat u naar het ziekenhuis,' protesteerde de agent. 'Er moeten foto's worden gemaakt. Misschien hebt u een interne bloeding.'

'Geen sprake van,' zei de special agent van de DEA bits. 'Breng me daarheen.'

Na met zijn chef te hebben overlegd, ging de agent eindelijk akkoord. Met gillende sirene, zigzaggend tussen de andere auto's door, vertrokken ze in de richting van Ronda.

Malko's oren suisden nog van de explosie. Dit was niet het werk van Colombiaanse narco's die een moordenaar op hem af hadden gestuurd, maar van Al-Khobar. Het was duidelijk dat die in contact stond met islamitische terroristen.

Overal stonden rode koffers, in alle kamers, te midden van weegschalen en stapels zakjes met cocaïne met onbegrijpelijke opschriften. In een van de koffers zag Malko een Arabische krant liggen en een fles mineraalwater, ook met een Arabisch etiket. Plotseling zag hij een etiket aan het hengsel van een koffer zitten, dat kennelijk over het hoofd was gezien, want het was het enige.
Malko kon het wel zoenen. In westers schrift stond de naam Ryad Al-Khobar erop. Het kon niet mooier. Sabrina Powers zat met een kompres op haar hoofd op een stoel toe te kijken. Ze was nog niet helemaal helder. Het hoofd van de Spaanse drugsbestrijding kwam glimlachend naar Malko toe. 'We hebben meer dan twee ton in beslag genomen en ze hadden al een heleboel verkocht,' zei hij. 'Overal in de regio hebben we wegversperringen opgesteld. We hebben ook zeventien miljoen dollar gevonden. Het geld zat in papieren zakken. Dit is de grootste vangst ooit in Spanje.'
'Bent u er nu eindelijk van overtuigd dat die Saoedische prins bij deze smokkel betrokken is?' vroeg Malko. 'Het zijn zíjn koffers, iedereen heeft kunnen zien hoe ze in Malaga werden uitgeladen, en op een ervan zit zelfs nog een etiket met zijn naam. Zijn landgoed ligt hier een paar stappen vandaan. Special agent Sabrina Powers van de DEA en ik zijn een uur geleden het slachtoffer van een bomaanslag geweest. En daar zaten geen Colombiaanse narco's achter.'
De agent leek steeds meer in verwarring gebracht. 'Daarover zal ik met mijn meerderen contact opnemen,' beloofde hij. 'Maar er zal een gerechtelijke uitspraak moeten komen. Misschien zit iemand van zijn personeel achter deze smokkel.'
'Het zal zijn personeel niet zijn geweest dat Carlos Barco, van het kartel in Medellín, aan boord van zijn privévliegtuig heeft uitgenodigd, samen met Dolores Zapata, de zakenpartner van Carlos Barco,' reageerde Malko koel. 'Zij bevinden zich nog steeds op het landgoed.'
De Spaanse agent reageerde niet. Malko keek op zijn horloge. Drie uur. Negen uur 's ochtends in Washington. Vijf minuten later had hij Frank Capistrano aan de telefoon.
Malko draaide er niet omheen: 'We hebben nu bewijs dat Al-

Khobar heeft meegewerkt aan een reusachtige cocaïnesmokkel. Het ligt hier, pal onder mijn neus. En ik heb sterke aanwijzingen dat de opbrengst van deze zending bestemd was voor een terroristische groepering.'
Hij vertelde over de twee moordaanslagen op zijn leven en besloot met: 'De narco's zijn zakenmensen, die hebben geen tijd om wraak te nemen. Al-Khobar zit erachter.'
'Goed,' zei de speciaal adviseur van het Witte Huis, 'ik zal meteen Madrid bellen. Ik zal hun vragen Ryad Al-Khobar in elk geval te ondervragen. Natuurlijk moeten we onweerlegbaar bewijs hebben, als we een besluit willen nemen.'
'Ik weet het,' gaf Malko toe. 'Maar vóór 11 september waren ze ook te voorzichtig. Je hebt gezien waartoe dat heeft geleid.'
'Je hebt gelijk,' gaf Frank Capistrano toe. 'Ik ga ermee naar de president.'

De antiterroristische eenheid – twee mannen in burger – parkeerde hun Seat voor Calle Castello 6, een smalle, rustige straat in San Pedro de Alcantara, vlak tegenover het sportpaleis. Op de hoek was een bar, ernaast een verhuurbedrijf van quads en verder lagen er kleine gebouwen van drie verdiepingen met balkons aan de straat. De twee agenten liepen naar de deur van nummer 6. Ze belden aan bij Al-Hayir. Geen reactie. Ze belden nog een keer aan en drukten toen op alle bellen, tot een vrouwenstem door de intercom riep: 'Wat is er?'
'Guardia Civil,' zei een van de mannen in de intercom. 'We zoeken meneer Al-Hayir.'
'Op de derde.'
'Hij doet niet open.'
'Toch zijn ze thuis,' zei de vrouw. 'Ik hoor geluiden. Ik doe wel open voor u.'
De twee agenten gingen de kleine hal binnen. In deze volkswijk waren geen liften. Het stonk er naar chorizo en olijfolie. Voorzichtig liepen ze de trappen op. Van de portier in de parkeergarage in Puerto Banus hadden ze gehoord dat Mouloud Al-Haramein, de moordenaar met de dolk, bij een zekere Ali Al-Hayir woonde, het hoofd van de parkeergarage. Hij was een gewone Marokkaan, die nooit was opgevallen. Daarom gingen ze nu

eens kijken. Op de derde verdieping bleven ze even staan om te luisteren. Er klonk inderdaad muziek uit het appartement. En stemmen.
Luís Miguel Romero, de hoogste in rang, drukte op de bel en meteen werd het stil. De twee agenten hoorden gerommel en toen vroeg een stem met een Arabisch accent: 'Wie is daar?'
'Guardia Civil,' zei Luís Miguel Romero.
Weer werd het stil. De twee agenten wachtten tegen de deur geleund. Die ging op een kier open, net genoeg om de dubbele loop van een geweer naar buiten te steken. Geen van de twee mannen kreeg de tijd om te reageren. Luís Miguel Romero werd vol in zijn borst getroffen en werd tegen de muur aan de overkant van de gang gesmeten. Zijn borst was doorzeefd en hij was al dood voordat hij de grond raakte. Zijn partner kon nog net opzij springen, voordat de riotgun zijn tweede dodelijke lading uitbraakte.
Zonder op de rest te wachten, rende hij de trap af. Met zijn dienstpistool nam hij het niet tegen deze moordenaars op. Trillend sprong hij in zijn dienstauto en riep onmiddellijk over de radio het hoofdkwartier van de Guardia Civil in San Pedro op, met het verzoek versterking en een ambulance te sturen. Toen pakte hij zijn wapen, laadde het door en hield de deur van nummer 6 in de gaten, hopend dat zijn kameraden snel zouden komen. Als degenen die op hem hadden geschoten zouden proberen te vluchten, had hij een probleem.
Vijf minuten later kwamen de eerste loeiende sirenes naderbij. Binnen een kwartier was de hele wijk afgegrendeld. Onophoudelijk bleef er versterking komen. Een ploeg van de antiterroristische eenheid stormde zwaarbewapend de trappen op en haalde het lichaam van de doodgeschoten agent naar beneden.
Uit het appartement kwam geen teken van leven. Ze hadden het telefoonnummer gevonden, maar niemand nam op. Het was zelfs niet bekend hoeveel personen er zich binnen bevonden. Het hoofd van de politie van Marbella kwam ook. Doodsbang sloten de omwoners zich in hun huizen op.
Een agent pakte een luidspreker en gaf de bewoners opdracht zich over te geven. Maar zonder succes. Er kwam een brandweerauto aan, die zijn ladder tegen de gevel uitvouwde. Enkele

gehelmde agenten in kogelvrije vesten klommen voorzichtig naar boven. Plotseling ging er een luik open en er klonk een salvo. Nu was het een zwaar, militair geweer.
Een van de mannen viel log op de grond. De versterking bleef toestromen, gevolgd door de lokale pers, die door de buurtbewoners was gewaarschuwd. Zoiets hadden ze nog nooit in deze rustige wijk meegemaakt. Zelfs toeristen kwamen hier niet.

Mahmoud klopte voorzichtig op de deur van prins Al-Khobar, die samen met Dolores op de eerste verdieping van de villa siësta hield. Hij moest het een paar keer herhalen, voordat de Saoediër de deur woedend op een kier opende. Zijn woede verdween snel toen hij hoorde wat Mahmoud zei.
'Ali heeft gebeld. De politie heeft het gebouw omsingeld. Hij vraagt wat ze moeten doen.'
Ryad Al-Khobar aarzelde geen seconde en antwoordde op koele toon: 'Dat ze zich als martelaren gedragen.'
Hij deed de deur dicht. Geschokt gaf Mahmoud de boodschap door. Hij kende de mannen die zich in het appartement bevonden. Sommigen hadden enkele maanden geleden onderdak gevonden in Dar Es-Salam toen ze op de vlucht waren voor de politie. Het waren toegewijde strijders van de jihad, van wie sommigen hun sporen hadden verdiend in Afghanistan.
Inch'Allah, hun uur had geslagen. Toen hij zijn telefoon had dichtgeklapt, bad hij voor degenen die gingen sterven.
Ryad Al-Khobar kwam in djellaba naar buiten. Hij maakte zich duidelijk ongerust en zei: 'Maak de bagage klaar. We vertrekken.'
'Moet ik de auto nemen?'
'Nee, jij blijft.'
Hij ging terug de kamer in en het lukte hem met zijn telefoon de gezagvoerder van de Tristar te bereiken. De bemanning was ondergebracht in een klein hotel in de buurt van het vliegveld van Málaga. Al-Khobar gaf hem instructies zich klaar te maken voor het vertrek om 17.00 uur die middag. Daarna keerde hij terug bij Dolores, die ook in djellaba was gekleed en nieuwsgierig op hem wachtte. 'Wat is er aan de hand?'
'De politie heeft onze vrienden in San Pedro gevonden,' zei hij.

'Ik vertrek. Ga je mee?'
'Naar Riyad?'
'Ja. Je zult er leven als een prinses.'
De Colombiaanse kende de Saoediërs. Ze schudde traag haar hoofd. 'Nee, ik blijf liever hier om te wachten tot de rust weerkeert. Dan probeer ik terug naar Miami te gaan.'
De prins drong niet verder aan en wees naar een koffer. 'Die mag je hebben. Er zit een miljoen dollar in. Dat is alles wat ik nog heb. Je zult het nodig hebben.'
'Vertrek je over de weg? Dat is gevaarlijk.'
'Nee,' zei hij slechts, en hij pakte zijn telefoon weer. Hij moest nog één detail regelen om zijn veiligheid te garanderen. Lange tijd keek hij Dolores aan, die er nog altijd even sexy uitzag. De kans was groot dat hij haar nooit meer terug zou zien.

Sabrina en Malko waren tien minuten geleden, na een oproep van de drugsbestrijding, in de Calle Castello aangekomen. In de wijk heerste een staat van beleg. Men maakte zich klaar om het gebouw te bestormen. De belegerden hadden enkele salvo's gelost, zonder op de oproepen van de politie te reageren.
'We gaan!' riep een commandant van de Guardia Civil, en hij leidde zijn mannen de smalle trap op.
Achter elkaar klommen ze naar boven, tot de tanden gewapend en beschermd door gepantserde schilden. De andere bewoners van het gebouw waren geëvacueerd en op een sportterrein aan de overkant verzameld. Alle winkels in de straat waren gesloten.
'Ik ben benieuwd wie ze er zullen aantreffen,' zei Malko tegen Sabrina.
De jonge vrouw kreeg geen tijd om te antwoorden. Een hevige explosie deed de wijk schudden en een reusachtige, rode vuurbal spoot uit de ramen van de derde verdieping naar buiten, samen met brokken puin, zwarte rook en allerlei rommel. Een regen van puin daalde neer op de politieagenten. De voorkant van het gebouw was volkomen opengereten en uit alle gaten kolkte de rook naar buiten.
Malko bukte zich. Iets roods was voor zijn voeten terechtgekomen: een half verbrande koffer, net zo een als ze in het huis van

José María Portal hadden gezien. De bagage van prins Ryad Al-Khobar. Tegelijkertijd dwarrelde er een regen van groen papier in de warme lucht neer. Een van de agenten pakte een papiertje op en slaakte een kreet. Het was een biljet van honderd dollar!
Uit het opengereten appartement daalde een fortuin neer. Het gebouw stond in brand. De agenten vluchtten de trap af om niet door het vuur ingesloten te raken. Agenten die over een van de brandweerladders omhoog klommen, zagen verscheidene lichamen in het appartement liggen. Niemand leek de enorme explosie te hebben overleefd.
'Dat doet denken aan Madrid,' zei het hoofd van de Guardia Civil.
Het appartement waarin de overlevenden van het islamitische commando zich bevonden die verantwoordelijk waren voor het bloedbad op het station Atocha, hadden zichzelf eveneens opgeblazen. Net als hier. Malko liep met de rode koffer naar de man toe. 'Bent u nu overtuigd? Deze koffer met geld heeft Ryad Al-Khobar aan een van zijn helpers gegeven. Hoe komt die hier terecht? U moet het landgoed koste wat het kost omsingelen en voorkomen dat hij op de vlucht slaat.'
Eindelijk had hij het bewijs dat hij zocht: het geld van de cocaïnesmokkel was inderdaad voor islamitische terroristen bestemd. Er volgde verhit overleg en er werd onophoudelijk heen en weer gebeld. Eindelijk kwam een van de mannen naar Malko toe. 'We hebben toestemming om naar Dar Es-Salam te gaan. Maar we mogen geen geweld gebruiken. De prins mag het landgoed in elk geval niet verlaten. Op de weg naar Ronda staan wegversperringen, evenals op de snelweg naar Málaga en Gibraltar. Komt u met ons mee?'

Terwijl ze de bochten van de weg naar Ronda namen, kreeg het hoofd van de politiemacht een radiobericht binnen van de agenten die in de Calle Castello waren achtergebleven. Hij draaide zich om naar Malko: 'Er zijn vier lichamen in het appartement gevonden, evenals wapens en geld. Een van de doden werd gezocht in verband met de aanslag op het station Atocha. Er lagen ook een heleboel papieren in het Arabisch, manifesten

van Al Qaeda en twee tassen met explosieven, die niet zijn geëxplodeerd. We zoeken nog verder.'
'Ik ben blij dat ik u eindelijk heb kunnen overtuigen,' zei Malko. 'Nu moeten we Ryad Al-Khobar nog zien uit te schakelen.'
De agent antwoordde niet. Dat lag politiek veel gevoeliger. Ze kwamen aan bij de ingang van Dar Es-Salam. Het hek stond wijdopen en ze reden de laan op, die door de luxueus aangelegde tuinen kronkelde en achter het huis bij een squashbaan eindigde. Ze stapten uit, omgeven door gewapende politieagenten. Bij de ingang van een grote patio verscheen een vrouw. De agent vroeg beleefd of prins Al-Khobar er was.
'Komt u deze kant op,' zei de vrouw.
Ze leidde hen door het huis tot ze uitkwamen bij een reusachtig grasveld met een zwembad en een adembenemend uitzicht.
Niemand.
De enorme salon leek leeg te zijn. De vrouw was verdwenen. Plotseling zag Malko in de verte een stofwolk van een heuveltop opstijgen. Toen zag hij een helikopter omhoog klimmen, die een bocht maakte en over hun hoofden passeerde. Hij vloog in noordelijke richting weg. Stomverbaasd keek Malko de politieagent aan. 'Wist u dat er een helikopter op het terrein stond?'
'Natuurlijk niet,' verzekerde de Spanjaard hem. 'We komen hier nooit.'
Er kwam een auto naar hen toe. Er stapte een man uit die Malko al had gezien: Mahmoud. Kalm kwam hij naar hen toe. Toen hij werd aangesproken door de Spaanse politieagent, zei hij: 'Ik heb zijne hoogheid naar de heliport gebracht. Ik geloof dat hij naar zijn land terugkeert.'
Malko stikte bijna. 'We moeten zijn vliegtuig tegenhouden, waarschuw Málaga.'
'Ik bel de verkeerstoren,' beloofde de agent.
Waar waren de twee Colombianen gebleven? Malko ging het huis binnen en doorzocht snel de begane grond, waar zich een immense salon, keukens en een eetzaal bevonden. Overal lagen enorme terrassen. Hij liep de indrukwekkende trap op en begon de slaapkamers te doorzoeken, samen met Sabrina en twee gewapende politieagenten. Eerst de reusachtige slaapkamer van

Ryad Al-Khobar, toen die van de gasten, die nauwelijks minder luxueus waren.
Niemand.
Een kamermeisje dat aan het schoonmaken was, antwoordde dat de bewoner van deze kamer, een vriend van de prins, een uur geleden over de weg achterlangs was vertrokken. Alleen.
Dat moest Carlos Barco zijn geweest. Dolores Zapata zat dus in de helikopter van de prins.
In de volgende kamer lagen de koffers open over de grond verspreid. Malko wilde al doorlopen, toen hij een bekende parfum rook. Een parfum dat hij in Miami had geroken toen hij bij de Colombiaanse was. Tegen de achtermuur stond een rij kasten. Op goed geluk trok hij de middelste open. Dolores Zapata stond in overhemdblouse en broek met haar rug tegen de muur. Ze was lijkbleek. Haar ogen stonden wijd opengesperd. Hij stak zijn hand naar haar uit. 'Dolores, kom daaruit, dit is bela...'
Als verlamd stopte hij. De Colombiaanse had een riotgun gepakt die ze tussen de kleren verborgen had gehouden en richtte het wapen met opeengeklemde kaken op hem. Hij kreeg zelfs de tijd niet om bang te worden. De twee agenten hadden tegelijkertijd geschoten, op hun hoede door wat er met hun collega's was gebeurd. Malko kreeg een gloeiend hete patroonhuls tegen zijn gezicht.
Dolores liet de riotgun los, die op de vloer van de hangkast viel, en zakte langzaam, getroffen door verscheidene kogels, onder andere in haar rechter halsslagader, op de grond. Haar blik was al troebel, maar nog vol kwaadaardigheid.

De pianist van de Marbella Club speelde *Bésame mucho*, zoals elke avond om deze tijd. De klanten genoten ervan. Malko hief zijn flûte Taittinger en toostte met Sabrina Powers. 'Bedankt. Zonder jou was dit me nooit gelukt.'
Ze had haar panterjurk met split weer aangetrokken en ze zag er stralender uit dan ooit. Ze glimlachte bescheiden. 'Zonder jouw koppigheid zouden ze nu allemaal vrij rondlopen. De Spanjaarden hebben me bedankt. De vier doden op de Calle Castello waren de overlevenden van de ploeg van de aanslagen in Madrid. Met het geld dat ze van Ryad Al-Khobar hadden gekre-

gen, zouden ze beslist nieuwe aanslagen hebben gefinancierd.'
Dankzij zijn diplomatieke paspoort was het Ryad Al-Khoba gelukt van het vliegveld van Málaga op te stijgen. In Saoedi Arabië had hij een communiqué laten uitgaan waarin werd beweerd dat het allemaal door de Mossad was verzonnen om hem in diskrediet te brengen. Er waren twee internationale arrestatiebevelen tegen hem uitgevaardigd en de kans was klein dat iemand hem ooit nog zou terugzien. Toch had Frank Capistrano een reprimande van president George W. Bush gekregen omdat hij deze zaak publiekelijk bekend had laten worden.
'Zullen we gaan dansen?' stelde Malko voor.
Er waren al enkele stelletjes op de dansvloer. Nu drukte Sabrina zich meteen ontspannen tegen hem aan. Haar ogen fonkelden in het halfduister. 'Voor het eerst,' zei ze zacht, 'denk ik niet aan mijn vader, met jouw armen om me heen.'
Malko begreep dat hij haar vanavond niet dronken zou hoeven voeren.